日本の真相！

「知らないと殺される‼」

政府・マスコミ・企業がひた隠す不都合な事実

船瀬俊介
Funase Syunsuke

SEIKO SHOBO

まえがき

本書をきっかけに、立ち上がれ若きひとびと

日本国民は、あまりに正直すぎる。つまり、馬鹿正直だ。

かの大戦中でも、新聞、ラジオを心底信じていた。そして、「天皇へーカ万歳！」を叫んで敵陣へ突入していった。

今も、まったく変わらない。テレビや新聞が悪質な〝洗脳〟装置であるとは、夢にも思っていない。これを、極楽トンボという。

しかし、そうしているうちに、目の前のニッポンは、極楽ではなく地獄に墜ちていることに、いやでも気づかされる。

日本は、どんどん貧しくなっていく。

「このままでは、アジア最貧国になってしまう」と本気で心配する向きもある。

日本が地獄に向かって転がり始めたのが平成だ。それから30年間、右肩下がりは止まらない。まさに、失われた30年……。

国際競争力は1位から30位に転落した。マレーシア、タイ、韓国にまで抜かれてしまった。1年で5位も順位を落とし、さらに、日本は墜ちていく。

株価を見れば日本の凋落がはっきりする。平成30年間で、アメリカ9・27倍、英国2・76倍、これに対して日本はなんと0・57倍。ほぼ半値に下落している。

世界トップ50に日本企業が36社も占めていた。それが、今やトヨタ1社のみ（35位）。いまや、日本企業は壊滅状態なのだ。

なのに、日本人の7割は平成を「いい時代だった……」と言う。信じられない呑気さ、鈍感さだ。ただただ、あきれ返る。

これぞ、まさにメディア、政府による愚民化の〝成果〟である。

日本の「報道自由度」は世界72位。「言えない」「書けない」ことだらけ。今や、それは、アフリカの独裁国家以下……。

大手マスコミは、近年、世論調査もやっていないはずだ。

そう確信するのは、地方紙・中小メディアとの信じがたい〝開き〟である。

たとえば、安倍政権「支持」「不支持」を問う調査で、大手マスコミは「支持」42〜51％で「依然、高支持率」と公表している。

ところが「日本農業新聞」は「支持」7％、「不支持」93％。圧倒的大差だ。「埼玉新聞」は「支持」16％。地方紙での支持率もせいぜい10～20％台。大手メディアの2分の1～3分の1。

同じ国民で、これだけ意見に大差が付くことは絶対にありえない。

結論をいおう。正しいのは地方紙である。律義に調査を集計している。

だから10～20％台が、正しい「安倍政権の支持率」なのだ。大手は談合して「世論調査」結果を捏造（ねつぞう）している。この事実を告発する市民団体は「約3年前から、大手マスコミは世論調査そのものをやっていない」と指摘する。

どうせ、大手マスコミは安倍首相のオトモダチ。官邸からの圧力で都合のいい数字を出さざるをえない。なら数百～数千万円も経費のかかるムダな「世論調査」自体をやる意味がない。

日本は、本当に貧しく、不幸な国になってしまった。

国民の「幸福度」は過去最低の58位。若者の自殺率は世界ワーストワン。かれらの口癖は「死にたい」だ。女性の自殺率も3位。

環境や健康面でも、日本は世界最悪レベルだ。

「単位面積当たりの農薬使用量」と「自閉症・発達障害」は、韓国と日本が共にツートップだ。いずれもアメリカの奴隷国家。そのツケが大量の農薬押し売りであり、その結果としての神経・発達障害なのだ。

かつて、平成維新を日本人に託した経済評論家の大前研一氏は、こう記している。

「……さらば平成、何も変わらないこの国は、ただ沈んでいく」(『週刊ポスト』ビジネス新大陸の歩き方)

彼は平成の終わりにさいして振り返る。

「むなしさを抱えたまま、平成日本が幕を閉じようとしている」

日本は、底無しに貧しく、暗く、沈みつつある。

しかし、そんな日本の苦境を拱手傍観(きょうしゅぼうかん)しているわけにはいかない。

山があれば谷もある。谷を越えれば山がある。下りがあれば上りもある。

ピンチはチャンスというではないか!

下りでガツンと底を打てば、あとは反発して上に向かうだけだ。

わたしは、本書で日本の姿を赤裸々に描いた。

これこそが、日本の真の姿である。手にとった方は、ガク然とするだろう。

ここに書いてあることは、どれ一つとっても大手テレビ、新聞では伝えることはできないはずだ。

マスコミ関係者は、本書のページを繰れば、恐怖で戦慄(せんりつ)し、顔は引きつるだろう。

メディアで書いてはいけないことが満載されているからだ。

テレビ、新聞を素朴に信じてきたひとにとっても衝撃だろう。

しかし、真実に眼を閉じる者は、未来を見ることもできない。

国民の「幸福度」連続世界1位のフィンランド国民は、34歳の若き女性を新しい首相に選んだ。

かの国の教育を根底から変え、世界トップとしたのは、30歳で就任した若き男性文部大臣だ。

わたしは若者を信頼し、未来を託すフィンランドのひとびとを、心よりうらやましく思う。

わたしは、本書をできるだけ若いひとたちに、手にとっていただきたい。

若さこそ、輝ける財産である。

日本にも未来に向けて瞳を輝かせる若者たちが現れるはずだ。

そこから、かならずや新しい日本が始まるはずだ。

本書がそのための一助になることを願ってやまない。

さあ、日本の真相をしっかりと凝視していただきたい。

もくじ　Contents

第Ⅰ部　闇の勢力に支配されているニッポン

明治維新の真相——それはメイソン革命だ！
——孝明天皇暗殺・明治天皇すり替え、巨大スキャンダルの深い闇

「信用創造」、銀行のペテン――〝空気〟を貸してカネを盗る

――預金準備率、中央銀行システム……知ってはいけない、金融騙しの超タブー

どんどん貧しくなるニッポン、立ち上がれ！時間はない
——奈落に真っ逆さまの日本経済、その根本原因を探る

投票箱は〝ゴミ箱〟だった！息の止まる不正選挙
——なるほど！これが安倍政権が超長期安泰のカラクリ

第Ⅱ部　殺人医療に有害食品、次々はげる化けの皮

ガン死者、日本だけがなぜ増える？
――猛毒〝治療〟でガン患者の8割が殺されている！

99％が死ぬ！抗ガン剤オプジーボ、ノーベル賞の黒い罠
——幻の医学賞・山極勝三郎の無念

白い牛乳、35もの黒いワナ――発ガンから犯罪まで、知られざる罪状

――栄養学から育児まで、捏造神話で人類を支配してきた魔の歴史

第Ⅲ部　魔王ロックフェラー死す、世界は激動期に突入

「魔王、死す！」2017ショック——相次ぐ衝撃報告
——暴かれ始めた地球皇帝D・ロックフェラーの世界支配ファイル

トヨタがはまった罠、燃料電池車に未来はない

――トヨタが〝第二の東芝〟に、プリウスが〝ガラケー〟になる落日

リニア新幹線が日本を滅ぼす、地獄へ道づれ10大暴走

――報じられぬリニア災害と超巨額利権

巨大利権は50兆円まで爆発する!? 214

第Ⅳ部　未来を救う希望のグリーン・テクノロジー

「創生水」水が燃える――石油文明は終焉に向かう
――開発者のたび重なる暗殺を乗り換え、ついに実用化！

水は「記憶」「転写」する——ノーベル賞学者、衝撃の実験結果
——顔面蒼白となるホメオパシー誹謗中傷派の殺人医学界と走狗マスコミ

世界に広がる「波動医学」――「気」「意識」「祈り」とは？
――人類を救う最後の砦、それは波動エネルギーの奇跡

装幀……………………………フロッグキングスタジオ
本文DTP……………………ホープカンパニー
本書は月刊『ザ・フナイ』（2018年1月号〜2019年11月号）に連載した原稿の一部に改筆・加筆したものです。

第Ⅰ部

闇の勢力に支配されているニッポン

明治維新の真相——それはメイソン革命だ！

——孝明天皇暗殺・明治天皇すり替え、巨大スキャンダルの深い闇

敢えて書く、日本人よ現実を直視せよ！

わたしにとっての重大覚悟の書、『維新の悪人たち』という本を出した。

副題は「明治維新はフリーメイソン革命だ！」。

さらに、帯の文章に注目してほしい。

「伊藤博文による孝明天皇暗殺」、「明治天皇すり替え説」、「日本近代史の二大スキャンダルの闇に迫る！」

わたしの著書の昔からの読者なら、うなずく方も多いだろう。

しかし、ごく一般の人々が、これらのタイトルを眼にしたら困惑、動揺するはずだ。

その証拠に、ある席でこれらの事実を口にしたら、相手は「そんなことはないッ！」と激しく首を振って、顔色が変わり、一種のパニック状態に陥ったのだ。

心理学的には「認識の混乱」は、「生理の混乱」に直結している。

それまで自分が常識と信じてきたことが否定される。すると、体内で生理的パニックが起きる。それは、不快ホルモン・アドレナリンの分泌を加速するため、ムカムカしたり気分が悪くなったりする。

早く言えば、〝ムカつく〟のだ。

おそらく、書店でこの本の表紙を見ただけで、不快になり、顔を背ける人もいるだろう。それでも、わたしは、敢えてこの一冊を世に問うたのだ。

日本は今、政治的、経済的に未曾有の混乱期にある。

経済力も日に日に、まさに奈落の底に落ちるように、沈んでいく。

「このままでは、日本はアジア最貧国に堕ちていく……」

本気で心配する嘆きの声を聞いた。

元海上自衛隊の幹部職だった方から、面と向かってこう言われた。

「……ここまで書いたら、本当に危ないですよ。身辺に注意してください」

つまり、書いたことは、すべて真実だからだ。

だからわたしは敢えて書いた。

それは、現代日本人の覚醒を求めるためだ。

「明治維新」の正体は、国際秘密結社フリーメイソンが仕掛けた、巧妙な〝陰謀〟だった……。この真実は、多くの歴史学者たちですら気づいていない。

それほど、闇の勢力の仕掛けは、巧妙だった……。

過去に眼を閉ざす者は、未来を見通すこともできない。

この日本近代史の真実に立ち返らない限り、今後、日本の未来展望も一切開けないだろう。

メイソンの〝黒い教皇〟アルバート・パイク

2018年は、「明治維新」150周年であった。

日本近代革命を見直す、これほどの好機はなかったはずだ。

さまざまな維新関連本が出版された。だが、右傾化傾向の甚だしい昨今、維新礼讃本が陸続として書店店頭にあふれた。

それは、またもや続く、日本国民の〝洗脳〟に他ならない。

よって、機先を制する意味で、わたしはこの一冊をまとめたのである。

この本に反論できる識者は、恐らく皆無であろう。

この本の主題（モチーフ）は、「明治維新はフリーメイソン革命であった」という衝撃史実である。その前には、「伊藤博文による孝明天皇暗殺」と「明治天皇すり替え事件」などの二大スキャンダルですら、かすんでしまう。

ここで、明治維新を仕掛けた最大悪人を暴露する……。

それは、アルバート・パイクである。

彼の別称は――フリーメイソン〝黒い教皇〟――だ。

彼の名を知らなければ、世界の近代から現代に至る歴史は、まったく理解できない。

しかし、日本の大衆どころか知識人ですら99％が彼の名を不知なのだ。

これでは、歴史どころか現代社会の実相すら、理解できるはずがない。

パイクが歴史に名を残したのは、その極秘書簡の故(ゆえ)である。

彼は１８７１年、イタリアのフリーメイソンの巨魁(きょかい)、ジュゼッペ・マッツィーニ宛てに書簡を送っている。

それが、どういう経緯か露見したのだ。

その内容を眼にした人々は、一様に驚愕(きょうがく)した。なぜなら、そこには……「これから起こるであろう」三つの世界大戦を、ことごとく詳細に予言していたからだ。

パイク書簡「三つの大戦は、メイソンが計画し実行する」

パイク書簡は、世界大戦の〝予言〟ではなく〝予告〟であった。

「……1859年から71年にかけて、パイクはフリーメイソンの世界秩序のための基本計画に取り組み、三つの大戦を含む『基本計画』を考案した」

これは、歴史批評家ユースタス・マリンズ氏の渾身の告発書である『カナンの呪い』（成甲書房）に詳述されている。

そのとおり。パイクもその秘密書簡で「これから起こる三つの大戦は、メイソンの計画の一環として、プログラミングされたもの」と宣言している。

そして――。

それらは、恐ろしいほどに「予告」どおりに起こっているのだ。

■第一次世界大戦＝1914年、オーストリア皇太子夫妻がサラエボ視察中に遭遇した暗殺事件が発端となって勃発（ぼっぱつ）した。後の裁判で暗殺者一味が「自分たちはメイソンである」と自白している。暗殺計画もセルビアのフリーメイソン組織によって仕組まれたことも判明。こうして、パイク予告は実行に移されたのだ。

■第二次世界大戦＝「ファッシスト、そして政治的シオニストとの対立を利用して引き起こされる」（パイク予告）。シオニストとは、パレスチナ地方にユダヤ人国家を建設しようとする人々を指す。そして「この戦争でファッシズムは崩壊するが、政治的シオニストは増強し、パレスチナにイスラエル国家が建設される」（『カナンの呪い』）

——恐ろしいほどの符合である。

■第三次世界大戦＝「（中東で）シオニスト（イスラエル）とアラブ人との間にイルミナティのエージェントによって引き起こされる」（同書）

——ここでのイルミナティとは「フリーメイソンの中枢を支配する秘密組織」を指す。

フリーメイソンの正装に身をつつんだ
アルバート・パイク

秘密書簡を受け取った
ジュゼッペ・マッツィーニ

やはり、第四次中東戦争やイラク、アフガニスタン、シリアなどでの絶え間ない戦火を見れば、パイク予言の正確さに、背筋が凍る……。

戦争は「金融」「兵器」ビジネスのために起こす

「戦争は〝起きる〟ものではなく、〝起こす〟ものである」

「パイク予言」は、まさに、その真理を鮮やかに証明している。

なぜ、〝かれら〟は、戦争を起こすのか？

理由はじつに簡単だ。

それは、戦争が膨大な利益をもたらす〝ビジネス〟だからだ。

メイソンの中枢に巣喰(すく)うのは、ユダヤ系の金融業者と武器業者である。

戦争になれば、敵味方の区別なく、敵対する両陣営は、こぞって武器を求める。手元に資金がなければ、金融業者から借金をしてでも武器を大量購入する。

だから、戦争とは「金融」「兵器」二大ビジネスにとって、格好の稼ぎ時なのだ。なら、〝かれら〟は戦争が自然に発生するのを待つ……などといった悠長なことはしない。積極的に〝市場〟を創造していく。

つまり、戦争の火種を仕込み、開戦を仕掛けていくのだ。

そのためには、巧妙に党派、民族、国家などの対立、敵意を扇動し、緊張、紛争……と憎悪を煽り、最後は戦争へと導く。

さて――。

このフリーメイソンの戦争ビジネスの図式と戦略を、明治維新に当てはめてみよう。

フリーメイソンは、パイク書簡の予告どおりに、第一次、第二次世界大戦を起こしている。第三次世界大戦も、その緒戦は恐ろしいほど正確に実行に移されている。なら、大戦の狭間にある、小さな革命や戦争も、自由自在に起こせて当然だ。

南北戦争の「中古ライフル」を幕末日本に横流し

そこで、わたしは、「アヘン戦争」（1840～42年）――「南北戦争」（1861～65年）――「明治維新」（1868年）に注目した。

見事に配列されている……！

克明に調べてみると、アヘン戦争は、メイソンが支配する貿易会社ジャーディン・マセソン商会が英国議会に強硬圧力をかけ、勃発させたものであることが判明している。

南北戦争もメイソン首脳たちが20年近くも前から、パリで極秘会議を開き、「アメリカに内戦を起こす」ことを策謀し、ついに開戦の火蓋を切らせたのだ。

首謀者は、当時、英国首相と外相を兼ねていたパーマストン卿（第3代。ヘンリー・ジョン・テンプル）で、南部を扇動する工作員として抜擢されたのが若きアルバート・パイクであった。

パイクはその後、南軍の総大将となり、〝予定どおり〟に負けている。

北軍を開戦に導く工作員として暗躍したのがケイレブ・クッシングである。

南北戦争は、約62万人もの死者を出す惨劇であった。

注目すべきは、当時使われた兵器である。歩兵銃だけで、南北軍併せて約90万挺ものライフルが払い下げられた。これら中古ライフルは、二束三文タダ同然である。

これら、中古兵器に眼を付けたのがメイソン武器商人たちである。

こうして、南北戦争で使われた大量兵器が、次なる幕末日本の倒幕派と幕府派の双方に売り付けられたのである。

見事な武器の使い回しである。

メイソンが「アヘン戦争」→「南北戦争」→「幕末戦争」……と、プログラミングしたのは、兵器の再利用を考慮したものであることは間違いない。

さらに……「日清戦争」（１８９４年）→「日露戦争」（１９０４年）→「ロシア革命」（１９０５～17年）→「第一次世界大戦」（１９１４～18年）→「第二次世界大戦」

（1939〜45年）→「インドシナ戦争」（1946〜54年）→「朝鮮戦争」（1950年〜休戦中）→「ベトナム戦争」（1961〜75年）……。

見事に（！）切れ目なく、〝かれら〟が戦争を配分し、仕掛けていることに、感嘆する。「金融」と「兵器」の〝死の商人〟たちにとって、平和こそが「堪え難い悪夢」なのだ。

日本を操った碧い眼の諜報員たち

フリーメイソンが「金融」、「武器」を支援するのは、戦争の一当事者ではない。〝かれら〟は、必ず密かに敵・味方両陣営に武器を売り付けるのだ。これが、〝かれ

米国の〝内戦〟南北戦争を企図したパーマストン卿

ケイレブ・クッシングは北軍を開戦に導いた工作員

ら〃お得意の二股作戦である。

幕末は勤王派と佐幕派に別れて国論が二分し、熾烈な戦いが繰り広げられた。

それは、国内だけの内乱ではなかった。背後には外国勢力と外国製武器が存在したのだ。

これらを一手に仕切っていたのが国際秘密結社フリーメイソンなのだ。

倒幕側と幕府側との最大の戦いとなったのが戊辰戦争（1868〜69年）である。

〃かれら〃の日本支配は実に巧妙だ。

メイソンのトップに君臨するのは世界最大資本家ロスチャイルド家であった。世界の「金融」「武器」も同財閥が牛耳っている。

そして、フランス側フリーメイソンは、幕府軍に武器を売り付け、英国側フリーメイソンは倒幕軍に武器を売りさばいたのだ。

ロスチャイルド家がひき起こした戊辰戦争

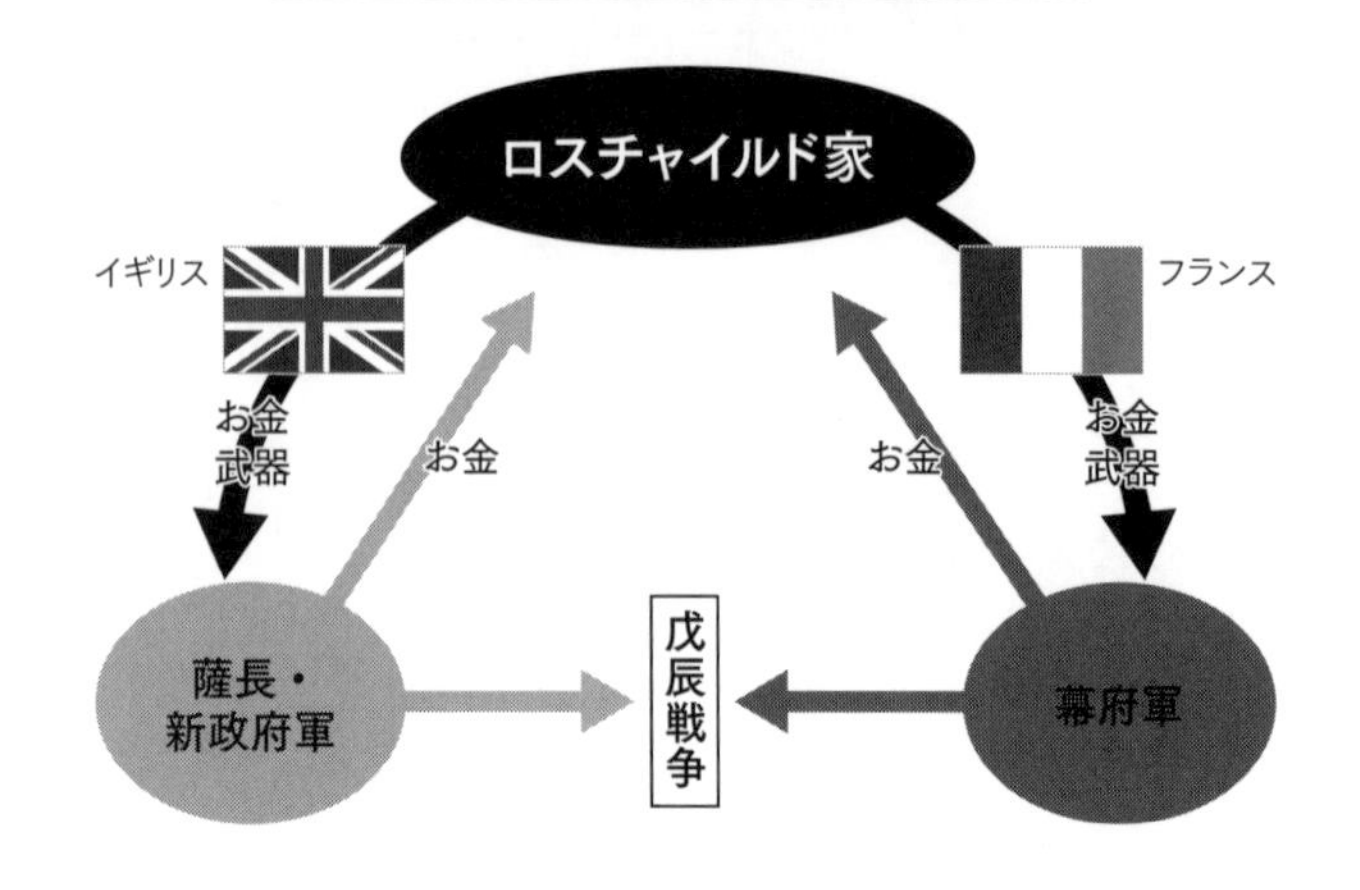

倒幕派に武器を大量に売りさばいたのが英国側メイソンのトーマス・ブレーク・グラバーである。

彼が坂本龍馬を操って薩長同盟軍に兵器を供給したのは、知る人ぞ知る史実である。

つまり、龍馬が起こしたとされる日本初の商社「亀山社中（かめやましゃちゅう）」や「海援隊（かいえんたい）」などは、メイソンのダミーとして使われたのだ。

グラバー、サトウ、フルベッキは「白人御三家」

さらに、英国公使パークスの通訳として活躍したアーネスト・サトウも、幕末から明治にかけて日本を背後から操（あやつ）った人物だ。

彼は日本全国を旅行して積極的に情報収集に努めている。日本の被差別部落制度などにも精通しており、後の明治天皇すり替えの陰謀にも荷担した……と目されている。

もう一人、重要人物が存在する。

それが、グイド・フルベッキである。

かの有名なフルベッキ写真の中心人物である。

この写真ほど、真贋（しんがん）論争がかまびすしいものはない。

明治維新の英傑44人とフルベッキ親子が一堂に会した写真……といわれる。

結論からいえば維新の志士らは22人ほど同定されており、本物である。

フルベッキの同僚だったグリフィスが1900年、著書で「後に皇国首相となった人物など、政府首脳となった人物たちが写っている」と証言している。

このグリフィス証言で、本物説は決定的である。

私の友人の一人に来日したメイソンの子孫がいる。彼は断言した。「幕末にはメイソン以外、来られなかった」。その証拠に、長崎、横浜の外人墓地には「メイソン・マーク」入りの墓石がゴロゴロある。

数多くのロッジも開設され、英字新聞には堂々と、集会案内広告まで掲載されている。

これら数多くのメイソンリー（会員）の中でも、グラバー、サトウ、フルベッキは、「白人御三家」と呼ばれている。

つまり、幕末から明治にかけて、日本を操った諜報員（スパイ）としてである。

サトウ、フルベッキらがメイソンであった……という公的記録は残っていない。

それは、当然である。記録を残さない。これが、メイソンや諜報部員の鉄則だ。

フルベッキは明治政府の陰のプロデューサー

特に、フルベッキは幕末から明治にかけて、日本を操った最大の黒幕と断言する。

「後の皇国首相や政府首脳となった人物たちが写っている」とグリフィスが証言したフルベッキ群像写真

グイド・フルベッキ

アーネスト・サトウ

トーマス・ブレーク・グラバー

彼が教導したのは幕府側、勤王側さらに公家、公卿など、数多くの重要人物たちであった。その多くは、明治政府の重職に就いている。

彼こそが明治政府の総合プロデューサーであった。それを証明するのが岩倉使節団の「計画書」作成だ。この使節団は、岩倉具視を正使として総勢１０７人が１８７１年から約2年間、欧米に派遣された、大掛かりな国家プロジェクトであった。

その一切の計画立案を行ったのがフルベッキなのだ。

それには、木戸孝允、伊藤博文、大久保利通など、明治新政府の偉勲が錚々たる顔触れを連ねている。

この使節団の表向きの目標は、〝文明開化〟した欧米諸国の視察である。

しかし、裏の目的もあった。

それが、使節団をフリーメイソン秘密ロッジに案内することであった。

おそらく、入会の秘儀を受けた団員も、相当数にのぼるだろう。

このフルベッキは、サトウ、グラバー同様に、伊藤博文による孝明天皇暗殺、さらに、明治天皇すり替えという、政治政府の二大醜聞を知悉していたことは、間違いない。

それは、明治政府にとっては二大恥部であり弱点であった。

支配の要諦は——**弱みを握り、脅す**こと——なのだ。

メイソンの手の上に乗った〝長州ファイブ〟

伊藤博文による孝明天皇刺殺……というショッキングな史実に触れる前に、彼の出自を明かさなければならない。博文の幼名は俊輔。生家は貧農で、足軽以下の身分であった。彼は長州藩の最下層の忍者、下忍として頭角を現す。その役目は暗殺であった。彼が通った松下村塾の吉田松陰の身分は中忍だった。

だから、同塾の正体は、諜報員（スパイ）養成の藩校だったのだ。

松陰は長州・田布施出身の少年、大室寅之祐の守役を博文に命じた。

大室家は、南北朝時代に北朝に敗れた南朝系の皇統を継ぐ一族と伝えられている。

しかし、私の手元に一通の書状がある。寅之祐、実弟の玄孫（やしゃご）J氏の克明な調査記録。「大室家が南朝系とはウソ。正体はわずか4代続く農家」という。それなら南朝説も捏造か？

若い頃の博文の写真が残されている。右手に太刀を握り、なかなかの迫力だ。テロリストとしての凄みが伝わってくる。

1862年12月には、高杉晋作らと英国公使館を焼き討ちしている。さらに、国学者・塙忠宝を襲撃、斬殺している。まさに、血に飢えたヒットマンそのものだ。

ところが暗殺者は豹変する。翌年、英国に密留学という挙に出たのだ。

かれらは、別名〝長州ファイブ〟と呼ばれる。招待したのは英国一の大富豪でフリーメイソン、マセソン商会会長。5人はその豪邸に寄宿して、英語などを習得した。現在の邦貨にして10億円近い留学費用も、〝かれら〟が負担したのは、言うまでもない。

5人の別名は〝マセソン・ボーイズ〟。つまり、マセソンの手の上で操られた少年たち……という意味だ。よって、5人がロンドンのメイソン・グランドロッジに〝招待〟されたのは間違いない。同ロッジには、かれらの写真が掲げられている、と伝えられる。

つまり、博文以下5人は、栄えあるメイソンリー（会員）として、意気揚々と帰国したのであろう。

博文が堀川邸の厠に忍び孝明天皇を刺殺

孝明天皇の崩御は、1867年1月である。天皇は、徹底した攘夷論者であった。よって、英国留学で攘夷派から開国派に転じた博文らにとっては、最大の障害でしかなかった。それにしても、後の明治政府の総理大臣が、孝明天皇を刺し殺した……など、まさに驚天動地以外の何ものでもない。

博文による天皇斬殺を公に告発したのは、安重根である。

１９０９年冬、中国ハルピン駅頭で博文をピストルで銃撃。暗殺した張本人である。

彼は裁判の場でこう証言したのだ。

「42年前、現日本皇帝（天皇）の父君にあたる御方（孝明天皇）を、伊藤さんが失い（殺し）ました。このことは、皆、韓国国民が知っています」

彼は、さらに博文が犯した15もの大罪を逐一あげて、告発した。

さらに文書でも糾弾（きゅうだん）している（「一五箇条斬奸状（ざんかんじょう）」）。

この博文による孝明帝斬殺を裏付けるのが、渡辺平左衛門の証言である。

彼は幕末には大坂城定番（じょうばん）を勧めていた。徳川慶喜の命を受けて、孝明天皇の暗殺犯の

孝明天皇

伊藤俊輔、のちの博文

安重根

探索に着手する。徹底した捜査の結果、天皇家の別邸・堀川邸の厠に潜んだ博文が、天皇を下から刺し殺した……ことが判明した。

厠の番人に賄賂を渡し、手引きをしたのが岩倉具視である。真犯人を探しあてた平左衛門は、探索を察知した長州藩の刺客に襲われ、深手の重傷を負う。

そうして、維新のどさくさで、あろうことか、天皇殺人犯が日本国総理大臣になってしまった。悲憤慷慨した平左衛門は、臨終の今際のきわに、子息・宮崎鉄雄氏にことの次第を全て語り遺して、息を引き取っている。

宮崎氏は、この衝撃的事実を、歴史家・鹿島昇氏に証言し、驚愕事実が世に明らかにされたのである。

明治天皇すり替え！近代史最大スキャンダル

孝明天皇崩御の後、嫡男・睦仁親王が、明治天皇として皇位を継承した。

孝明帝暗殺の後、薩長の明治政府は、睦仁の取り扱いに苦慮した。息子も父親同様の攘夷思想だったからだ。そこで、薩長は天皇のすり替えを画策し、実行に移した。

睦仁は和歌を好む色白の少年だった。心身は虚弱で、禁門の変では、近辺に落ちた大砲の音に失神した、と伝えられる。

その16歳の少年天皇が、一年も経つと体重24貫（約90キロ）の巨漢にすり変わっていたのだ。そのすりかわった人物こそが、大室寅之祐なのだ。年齢は同じ16歳。しかし、二人はあまりに違い過ぎて、すり替えの証拠は歴然だ。

①**「体格」**＝巨漢の寅之祐は侍従を相撲で投げ飛ばしたほど。両者が同一人物ではありえない。

②**「利き腕」**＝睦仁は「右利き」、寅之祐は「左利き」だった。同一人物の利き腕が変わることはありえない。

③**「乗馬」**＝公家育ちの睦仁には、乗馬記録は全くない。野生育ちの寅之祐は堂々と乗りこなしている。

④**「あばた」**＝色白だった睦仁にあばたはない。寅之祐は幼年期に天然痘を患いあばた顔。よって天皇は髭で隠していた。

⑤**「写真嫌い」**＝明治天皇は徹底した写真嫌いだった。しかし、残された数少ない写真は、まさに、寅之祐その人である。これは、〝すり替え〟の決定的証拠だ。

闇から日本支配を続ける「田布施（たぶせ）システム」

――以上の事実は、日本人にとっては衝撃だろう。

じつは、明治維新から現代にかけて、秘密結社フリーメイソンは、この情報の全てを掌握してきた。

そして、明治、大正、昭和から平成までの日本政府を支配し、操作してきたのだ。

弱みを握って、脅しをかけて、支配する……。

これは、ヤクザ、マフィアから秘密結社まで共通する支配の要諦（ようてい）だ。

そして、維新から戦後、現在に至るまで、日本支配の〝秘密基地〟として使われてきたのが山口県の田布施だ。その支配は、メイソンからGHQ、CIA……と、受け継がれて今日に至る。これが、俗にいう田布施システムだ。

この偏狭の地から出身したのが〝昭和の妖怪〟岸信介（きしのぶすけ）である。

国務院の役人として赴任した満州で、岸はアヘンの密売で巨万の富を稼ぎ、A級戦犯容疑で巣鴨プリズンに収監された。

この卑劣漢は絞首刑を免れるためCIAのスパイ（売国奴）となった。現在の邦貨にして約150億円ものCIA対日工作資金を密かに受け取り、それを自由民主党の創設資金とした。よって、同党の正体は、CIAの対日工作機関である。

安倍晋三は、この祖父を「心より尊敬する」という……。

知らぬがホトケの太平楽な日本大衆も、そろそろ目覚める時である。

「信用創造」、銀行のペテン――〝空気〟を貸してカネを盗る

――預金準備率、中央銀行システム……知ってはいけない、金融騙しの超タブー――

銀行はどうして儲かっているのか？

長い間、不思議だった。
銀行は、どうして儲かっているのだろう？
どの銀行も駅前一等地に、豪華なビルで、そびえている。
一流銀行の支店長などは、年収、ン千万円と聞く。
どうして、銀行はあんなに儲かっているのだろう？
どうして銀行員は、あんなに高給なのか？
不思議だった。

物書きのわたしの主な収入源は、原稿料である。

400字1枚の原稿を書いて、ン千円もらえれば、ありがたい。

昔から「ペンは一本、箸は二本」と言われてきた。物書きで食っていくのは難儀だ
……という、たとえである。

そんな、物書きの世界から見ると、銀行員などは別世界である。

これは他の職場の労働者から見ても同じだろう。

ラーメン屋の親父は、1日100杯以上のラーメンを汗水流してこさえて、やっとこさの生活が成り立っている。

原稿も書かず、ラーメンも作らず、それでいて銀行員はリッチなのだ。

いったい、どうしてだろう？　不思議だった。

銀行の利益は、顧客が預けた預金を企業などに貸し付け、その利子で成り立つ……。

こう学校で教わった。なるほど、他人から預かったお金を、回して、金を儲けているのか？

しかし、それにつけても昨今の低金利である。

年利1～2%……で貸し付けて、いったい利益が出るのか？

ひとごとながら、心配になる……。

それでも、銀行が潰れたという話は最近聞かない。

実に不思議だ……。

〝空気〟を貸してカネ、土地を奪う

まず、「信用創造」という言葉自体が初耳だった。

わたしが主宰する船瀬塾、塾生のTさん（52歳）の話は、驚くべきものだった。

「それは、『信用創造』があるからですよ」

「ボクも2年くらい前に、初めて知って呆然（ぼうぜん）としました」

一流企業のサラリーマンTさんも、それまでまったく知らなかった。

思わず、身を乗り出して聞き耳を立てる。

「そりゃ、いったい何だい？」

Tさんは、素（す）っ頓狂（とんきょう）な声をあげた。

「エッ、エエー！　船瀬先生も知らなかったんですか？」

「あたりまえだ。オレだって、知らないことはあるよ」

それから、彼が話す内容は、まさに耳を疑うものだった。

「銀行には、預金がありますよね」

「そうだ。銀行は、それを貸して儲けてるんだろ？」

「それが違うんですよ。わかりやすくいえば、たとえば1億円の預金残高があれば、100億円、貸し出せる」

「100倍じゃないか！　そりゃおかしいだろ。残り99億円は、いったいどこから降ってきたんだ？」

「まあ……、空中から生まれたようなものですよ」

「なんだとぉ。それじゃあ〝空気〟を貸してるのと同じじゃねぇか」

「はやくいえば、そうです。〝空気〟を貸して、利子と返済金を受け取っている」

「オイオイ、そりゃあ、詐欺じゃあねぇか！」

「そうですよね。詐欺ですよ。だけど、それは合法なんです」

呆れて、声も出ない。

Tさんも首を振りながら続ける。

「たとえば、住宅ローンが返済不能となりますよね」

「すると、担保の土地と家を銀行に取られちまう」

「そう。〝空気〟を貸して、土地と家……つまり、実体価値を手に入れる」

「……そりゃ、立派な犯罪だよ……（絶句）」

「だけど、合法なんです。資本主義は、それで成り立っている」

「なら、資本主義が、詐欺システムなんだ」

「そういうことになりますね……」

預金準備率0・8％、125倍も荒稼ぎ！

長生きはするものだ……という。

しかし、68歳になるまで、そんなペテンシステムが存在することすら、知らなかった。

「当たり前ですよ。新聞、テレビは一切触れない。大学の経済学部でも教えない。それどころか、当の銀行員ですら、その仕組みは、ほとんど知らない」

Tさんは続ける。

つまり、〝空気〟を貸して、カネを盗る。

〝無〟から〝有〟を生じさせる。

まさに、マジック（魔法）というより、ペテン……究極のサギ犯罪である。

銀行が一等地に建つはずである。

銀行員がリッチなはずだ。

Tさんによれば、貸出の基礎となるのが預金準備率という。

Tさんの調べによると、「現在の預金準備率は０・８％です。だから、預金残高の１２５倍、貸し出せる」

１００億円の預金がある銀行なら、その１２５倍の１兆２５００億円まで、自由に貸し付けることができる。

つまり、手元資金の１００倍以上の価値を、労せずして手にする。

フクラシ粉で、パンを１００倍にふくらますようなものだ。

「だから、銀行は、なかなか預金の引き出しに応じないでしょう。使用目的とか、いちいち聞いてくる。預金残高が減るからですよ」

フクラシ粉の〝パン種〟を死守しているわけだ。

キツネが木の葉で人を騙すのと同じ

これが、銀行という金融業の錬金術……というより犯罪手口なのだ。

大学の経済学部で、「信用創造」を教えないのも当然だ。

銀行業界の正体が、実はサギ業界だった……という驚愕（きょうがく）の事実がバレてしまうからだ。

マスコミも、そのマジックに触れることはタブー中のタブーだ。

資本主義システムが、驚天動地のサギ犯罪システムであったことがすっかり明るみに出てしまう。

これには、あきれた……。

「子どもだまし」――という言葉がある。

人類とは、ここまで無知でオロカな存在なのか……。

しかし人々は、この現代社会最大タブー、「信用創造」の存在に気づき始めている。

「……大西つねきさんという方が、『信用創造』を真っ向から批判しています。彼は、フェア党という政党を作って立候補してまで、訴え続けています。『私が総理大臣ならこうする』という著書がありますよ」（Tさん）

この言葉には、勇気づけられた。

熱血の同志が、他にも、やはりいたのだ。

経歴をみると1964年生まれ、JPモルガンやバンカース・トラスト銀行などを経た金融のスペシャリスト。彼はこう主張している。

「……資本主義は我々を幸せにするだろうか？」「格差はなぜ拡大するのか？」「日本人は300兆円以上、ただ働き？」「我々は何のために生き、死ぬのか？」

彼は、ブログで「信用創造」を〝ネズミ講サギ〟と告発し、その「総元締めは、現代金融制度だった」と一刀両断している。

「信用創造」とは……？

「何もないところから、お金を作り出す仕組みのことです。もしかしたら、皆さんは、キツネにつままれたような気分かもしれません。何なんだ、その手品のようなシステムは!?　でも、これが今のお金の発行の仕組みなんです」（大西氏）

キツネは、人を化かすとき、木の葉をおカネに変える、という。

まさに、同じたぶらかしの呪術を銀行は、日々、行っているのである。

Tさんは、最後に皮肉な笑いとともにつぶやいた。

「……これが、ロスチャイルドがつくった金融システムの正体ですよ」

真実は「言ってはいけない」「触れてはいけない」

ここまで指摘されても、銀行家などは怒り、居直るだろう。

「……何が悪い。詐欺など言いがかりだ。『信用創造』は、法で認められた制度だ。〝空気〟を貸しているなど、でたらめだ。われわれは、日銀から資金を借り受け、それを貸し付けているのだ。当然、われわれは、日銀に金利を払っておる」

さあ、ここで登場した日銀つまり日本銀行が、クセモノなのである。

〝かれら〟は、その「信用創造」というサギ犯罪は、日銀（中央銀行）もグルである……と白状している。

そもそも中央銀行とは、いったい何だろう？

「……国家や一定の地域の金融システムの中核となる機関である。通貨価値の安定化などの金融政策もつかさどるために『通貨の番人』とも呼ばれる」（Wikipediaより）

これでも、漠然としている。

「……その国や地域で通貨として利用される銀行券（通貨、貨幣）を発行する『発券銀行』である。市中銀行に対しては、預金を受け入れるとともに、最後の貸し手として資金を貸し出す『銀行の銀行』であり、国の預金を受け入れることで政府の資金を管理する『政府の銀行』という立場を保つ」（同）

ここまで読んでも、肝心の「信用創造」という用語はいっさい出てこない。

さらに、解説を読む。

「……中央銀行は、金融政策を通じて、物価の安定に対して責任を負っている。また金融に関して独自の判断をする、という位置づけで、政府から独立した存在である、ことが求められている」

「各国の中央銀行総裁と財務大臣が、一堂に会して経済・金融問題について話し合う財務大臣・中央銀行総裁会議が、G7、G10、G20として定期的に開催されている」

ついに、「信用創造」という単語は、いっさい出ずじまいだ。

それは、「言ってはいけない」「触れてはいけない」……暗黙のタブーなのだ。

M・ロスチャイルドの至言「通貨発行権を我に与えよ」

さらに、この「解説」からは、重大な真実が抜け落ちている。

つまり、故意に〝隠されている〟。

それは、先進諸国の中央銀行は例外なく民間企業、つまり――株式会社である――という事実だ。

あなたは日銀は、公共機関だと、ずっと思ってきたはずだ。

「国家機関だから、当然、政府や裁判所などと同様に、公共組織だろう」

99％の国民は、いまだそう思っているはずだ。

なぜなら、ニュースでは、日銀は黒田東彦（くろだはるひこ）総裁が仕切っている……ことになっている。

しかし、正確にいえば、日本銀行は、株式会社日本銀行であり、黒田氏の正式の肩書きは、黒田代表取締役社長なのだ。

だから、ニュースは正確に「株式会社日本銀行の黒田社長……」と、呼ばなければならない。

日銀広報は、そっけなく、こう記述している。

「日本銀行は、特別の法律（日本銀行法）により設立された認可法人です。日銀は株式会社ではないので株主総会もありません」（要約）

これは、ウソである。

株主総会も、株主公開の義務も負わない〝特殊な株式会社〟なのである。

しかし、そんなことは、メディアは一切報道しない。政府も一切もらさない。

わたしの手元に一冊の大部の本がある。

『民間が所有する中央銀行』（ユースタス・マリンズ著、面影橋出版）

日本銀行は「株式会社日本銀行」

黒田東彦日銀総裁は「代表取締役社長」

著者ユースタス・マリンズは、知る人ぞ知るジャーナリストである。

世界の〝闇の勢力〟の実態を暴き続けてきた勇気の人である。

わたしは、彼を大先達の著述家として尊敬してやまない。

歴史の闇を、彼ほど克明に鋭く、暴き続けてきた人物は、世界広しといえども他にいない。

世界の歴史学者たちは、彼の著作群の前に、顔色をなくし、ひれ伏すであろう。

さて――。

彼の衝撃著作『民間が所有する中央銀行』……。

このタイトルだけでは、何のことか分からない人もいるだろう。

歴史的に有名な言葉がある。

「……通貨発行権を我に与えよ。さすれば、法律などだれが作ろうと構わぬ」

これは、世界最大の超財閥、初代マイヤー・アムシェル・ロスチャイルドの台詞だ。

つまり、ここでロスチャイルド一族は、「通貨発行権を掌握することこそ、国家を支配することである」と明言しているのだ。

ここでいう通貨とは、紙幣のことである。

つまりは、〝紙切れ〟である。

その紙切れに通貨の模様を印刷すれば、それは、貨幣という価値を持つ。

掛かる経費は、印刷コストだけ。それで、紙切れが、有価物に〝化ける〟のだ。

まさに、気の遠くなる奇跡の〝錬金術〟である。

なんの価値もないその〝紙切れ〟を、国家や国民や企業に、担保を取って貸し付ける。

これこそが、「信用創造」の目の眩む魔法なのだ。

初代ロスチャイルドは、こうも宣言している。

「……わが財力は、いかなる奸智や権力をしても、打ち払えぬほどの威力を獲得するであろう。その時機まで、存在を隠していなければならない」

ロスチャイルド財閥、初代マイヤー・アムシェル・ロスチャイルド

これは1773年の「マイヤー・ロスチャイルド世界革命行動計画」25項目中の一文である。

彼はこの極秘戦略で、〝かれら（フリーメイソン）〟以外の人類を「ゴイム（獣）」と呼び捨てにしている。

つまり、〝かれら〟にとって、人類とは、騙し脅して、死ぬまで労働搾取する〝家畜〟にすぎないのだ。

ときに初代ロスチャイルド、30歳。莫大な資金力を背景に12人のブレインを招集し、人類支配「計画」を策定したのだ。その第一歩が中央銀行の乗っ取りだった。

イルミナティに乗っ取られた各国の中央銀行

ユースタス・マリンズが著した名著『民間が所有する中央銀行』は、悪魔の企（たくら）みを徹底的に暴いている。それが、アメリカの連邦準備制度である。

我々は、毎日のようにニュースで「ＦＲＢ」という言葉を耳にする。

正式には「連邦準備制度」と訳される。

それは「アメリカ合衆国の中央銀行制度」と解説される。

ここで、だれしもが首をかしげるだろう。

「なら、どうして最初から『アメリカン・セントラル・バンク（米国中央銀行）』と命名しなかったのだろう？」

子どもでも抱く、素朴な疑問である。

しかし、この制度を考案した連中は、それが民衆に〝中央銀行〟と感づかれてはまずかった。

そこで、あえて「連邦準備制度」というわけの分からぬ表現にしたのである。

結論から言ってしまえば、アメリカ合衆国は、国際秘密結社フリーメイソンがでっち上げた国家である。

独立宣言の署名者56人のうち53人がメイソン会員だった……という。

つまり、アメリカは最初からメイソンの〝所有する〟国家だったのだ。

そこで、マイヤー・アムシェル・ロスチャイルドの台詞を思い起こしてほしい。

「通貨発行権を、われに与えよ……」

それは、換言すれば「**国家を、われに与えよ**」と言っているのと同じなのだ。

ロスチャイルド家は、フリーメイソン中枢を支配する秘密組織イルミナティの頭目である。

そこで、〝かれら〟はアメリカという新興国を、完全支配するための手を打った。

それが「連邦準備制度（ＦＲＢ）」という、表向きをカモフラージュされた中央銀行制度なのである。

その創設の陰謀を、マリンズ氏は、生々しく描写している。

「……連邦準備制度は、世界でもっとも金持ちの銀行家たちがジョージア州ジキル島の隠れ家である辺鄙なクラブに集まり、陰謀的な会合を開いたことに端を発する。〝かれら〟は、ロンドンのアルフレッド・ロスチャイルド男爵に委託されて秘密裏に一つの銀行計画草案を作成した。それは、合衆国国民のすべての通貨と信用の独占権を、これらの銀行家たちに賦与しようとするものだった」（同書）

さらに、彼は告発のペンをゆるめない。

「……ユダヤは、〝かれら〟の格言『ゴイム（非ユダヤ人家畜）の最良部分を殺せ！　残りは精神病院に送り込め！』にしたがって、ユダヤに対する最大の批評家エズラ・パウンドを精神病院に入れた……」（同書）

「……アメリカの通貨制度全体を支配しているユダヤは、現在、すべての政治家とすべての新聞、そして、すべての大学を買収するに十分なだけのお金を〝印刷〟した。この権力を用いて、ユダヤは、術策を弄して、諸国家を第二次大戦に巻き込み、経済的に自由になったドイツと日本に対して酷い仕打ちを加えた」（同）

このように、中央銀行を乗っ取ることは、国家を乗っ取ることなのだ。

こうして、イルミナティは、次々に世界中の中央銀行＝国家を乗っ取っていった。

それは、地球をハイジャックすることに他ならなかった。

なぜなら、世界先進諸国の中央銀行は、とっくの昔に民営化されている。

それは、中央銀行＝国家が、〝闇の支配者〟イルミナティの掌の内に墜ちたことを意味する。

今や、民営の中央銀行を認めていなかった国は、わずか9ヵ国しかなくなった。

それは――キューバ、北朝鮮、アフガニスタン、イラク、イラン、シリア、スーダン、リビア、パキスタン。

これらの国々に共通するのは、欧米諸国から〝ならず者国家（rogue state）〟と呼ばれていたことだ。

1997年、クリントン政権のオルブライト国務長官が、議会演説でこれらの国々を〝ならず者国家〟と攻撃している。

いったい、どちらが〝ならず者〟なのか……。

ここでもう一つ、超大国が抜け落ちていることに気づいた。

それが、中国である。中国人民銀行は1948年に中国共産党により設立されている。

国家銀行として唯一、貨幣発行権を所有する。

中国経済の大躍進の秘密は、この〝国営〟中央銀行の存在にあった。民営の株式会社ではなく、国営なので信用創造によって発生した富も国家にすべて還元される。

これこそ、真の中央銀行のあるべき姿といえる。

世界の〝識者〟たちは、この真実に気づいていない。

あるいは、知らぬふりをしているのである。

銀行は「カネ」を「無」から「創造」する

FRBより先に設立された中央銀行がある。

それが、イングランド銀行（1694年設立）である。

むろん、創設者ウィリアム・パターソンもメイソンの大物である。

彼は「設立趣意書」の中で公然と書き記している。

「……すべての人に、利息の恩恵をもたらさん。銀行が、無から創造せしカネは……」

ここで、彼は明快に「銀行は、『カネ』を『無』から『創造』する」と宣言している。

これこそ、「信用創造」の神髄である。

マリンズ氏は、その銀行のペテンを暴く。

「……『無』とは、もちろん銀行の帳簿操作のことである。銀行は帳簿に1000ドルをあなたに『貸した』というメモを記入することによって、カネを『創造』することになる。そのカネは、銀行がそのように記入するまでは〝存在しなかった〟のである」（前出著）

つまり――〝空気〟を貸して、〝カネ〟を盗る――。

こうして、銀行は、あらゆる大衆、企業に、〝空気〟を貸して、莫大な富を収奪してきた。

〝空気〟の原価は、タダである。

銀行券＝紙幣の発行権を奪取したウィリアム・パターソン

イングランド銀行こそ信用創造の神髄

タダの物を貸し付け、カネや土地を〝返済〟させる。

気が遠くなる犯罪システムだ。究極の搾取(さくしゅ)だ。濡れ手で粟どころではない。

つまり、銀行も中央銀行も、目の眩む〝サギ機関〟なのである。

これが、近代資本主義の根本原理である……。

ということは、資本主義そのものが、壮大なる〝詐欺犯罪システム〟であった、ということだ。

そして、その〝システム〟を根幹から牛耳っているのが国際秘密結社イルミナティなのだ。

国に貸して国家を乗っ取り世界を支配

中央銀行は、〝空気〟を国家にも貸し付けてきた。

それは、莫大な〝負債〟を国家に負わせる。

西洋には古いことわざがある。

――**借りた者は、貸した者の永遠の奴隷となる**――。

つまり、国家は、中央銀行の所有者イルミナティの永遠の奴隷となる……のである。

イングランド銀行を通じての英国という国家の簒奪(さんだつ)は、その典型手口である。

「……1698年まで、英国財務省は、イングランド銀行から1600ポンドの借入れをした。1815年には、主に複利の利息だけで、債務は8億8500万ポンドに膨れ上がっていた」（マリンズ氏）

つまり、英国もまた、中央銀行の〝債務奴隷〟の地位に陥落したのである。

早く言えば、中央銀行を支配するイルミナティの掌中に堕ちていった。

FRBを乗っ取られたアメリカも同じである。

こうして、イルミナティは世界中の国家を、蚕食していったのである。

この〝無〟から〝有〟を生み出す魔法システム、通貨発行権について口にすることは、危険だ。

トランプ大統領は、堂々とFRBを批判している。

だから、暗殺の危険が、いつもつきまとっている。

ジョン・F・ケネディ元大統領も、通貨発行権を政府に取り戻すことを主張して暗殺された。

弟のロバート・ケネディも大統領選挙前に射殺された。

古くはリンカーン元大統領も同じ悲劇に見舞われた。レーガンもFRB制度に首を突っ込んだため、暗殺未遂という〝警告〟を受けた。

第7代大統領A・ジャクソンも中央銀行の更新を拒否したためヒットマンに狙われた。ピストルが不発で未遂に終わったことは幸いであった。

しかし、威嚇の効果は十分であった。

最後に——。

各国の中央銀行が特別な〝株式会社〟であることを思い出してほしい。

つまり、「空気」を元手に稼いだ目の眩む巨利は、その〝株主〟たちに猛烈に収奪（バキューム）されていく。

その〝株主〟の面々の名は、言うまでもない。

ロスチャイルド、ロックフェラーなどの他、メイソン大富豪、王族などの名が連なり闇に潜んでいる。

世界人類99％の富が、わずか1％の富裕層に奪い盗られたのも当然である。

どんどん貧しくなるニッポン、立ち上がれ！　時間はない
――奈落に真っ逆さまの日本経済、その根本原因を探る

今は昔の「ジャパン・アズ・ナンバーワン！」

日本が、どんどん貧しくなっていく……。

坂道を、転がるごとしという。

現実は、そんなものではない。

奈落の底へ、逆落とし――と言いたくなるほど凋落ぶりもすさまじい。

かつて「ジャパン・アズ・ナンバーワン！」と世界から、羨望のまなざしで称えられたのが、夢のようだ。

この惹句は、1979年に出版された、アメリカの社会学者エズラ・ヴォーゲルの著

作に由来する。

サブタイトルは「アメリカへの教訓」。つまり、アメリカも日本に学べ、というメッセージが込められている。

本書の日本語翻訳版は70万部を超える大ベストセラーとなった。

「日本人が日本特有の経済・社会制度を再評価するきっかけのひとつとなり、（中略）一世を風靡（ふうび）した」「主要なテーマは、単に日本人の特性を美化するにとどまらず、何を学ぶべきで、何を学ぶべきでないかを明確に示唆した点である。実際最後の章はアメリカへのレッスンと書かれている」（Wikipediaより）

出版の年、わたしは29歳。そのタイトルに、少なからず日本人としての誇らしさを感じたものだ。

著者ヴォーゲルは、アメリカに日本人のどこを学べ、と教示していたのか？

「日本の高い経済成長の基盤となったのは、日本人の学習への意欲と、読書習慣である」（『ジャパン・アズ・ナンバーワン』）

彼は、こう指摘している。

「日本人の数学力はイスラエルに次ぎ2位である。情報については7位だが、他の科学分野では2位か3位である」

「日本人の1日の読書時間の合計は、米国人の2倍、新聞発行部数も、きわめて多い」

つまり、日本人の学習への意欲や、読書習慣を高く評価している。

それが、戦後、奇跡の経済成長を成し遂げる原動力になった、と分析しているのだ。

ここまで読んで、唖然とする若い人は多いだろう。耳を疑うはずだ。

「40年前、日本が世界一だった……って、ウソだろ!?」

昔日の面影なし……とは、よく言ったものだ。

現在、88歳の高齢に達したヴォーゲル。彼が絶賛した栄光の国ジャパンの凋落ぶりを、どのような思いで見つめていることだろう。

日米で大ベストセラーとなった『ジャパン・アズ・ナンバーワン』

著者エズラ・ヴォーゲルは東アジア担当のCIA国家情報官でもあった

韓国にも抜かれ国際競争力30位に転落

「日本の国際競争力、ついに30位に転落……」

これは直近のニュースである。

スイスのビジネススクールＩＭＤは、２０１９年5月28日、「世界競争力ランキング・２０１９年版」を発表した。

日本の総合順位は、前年度から5つも順位を落とし、30位だった。

ちなみに、1位シンガポール、2位香港、3位アメリカ、4位スイス、5位ＵＡＥ（アラブ首長国連邦）、6位オランダ、7位アイルランド、8位デンマーク、9位スウェーデン……。アジア勢、欧米諸国も健闘している。経済躍進の中国も14位に食い込んでいる。台湾も16位と底力を見せている。

なのに、日本は、マレーシア（22位）、タイ（25位）、サウジアラビア（26位）、さらに韓国（28位）、リトアニア（29位）にまで抜き去られ、30位に転落……後塵（こうじん）を拝している。

まさに、見る影もない落魄（らくはく）ぶりだ。

この調査を行ったＩＭＤは、63カ国の国や地域を対象に、毎年、集計結果を報告している。

日本が5つも順位を落とした理由について、「ビジネスの効率性の低さ」「政府債務の多さ」などを、挙げている。

今の日本人には信じられないだろうが、このIMDランキングで、日本はかつて1989年から4年連続で1位に輝いていた。

まさに、ジャパン・アズ・ナンバーワン！　だったのだ。

しかし……「2010年以降は25位前後で推移しており、競争力は低下傾向だ」（『日経ビジネス』2019年5月29日号）

そして今回、突然、5つも順位を落とした。まさに、底が抜けた……。

タイや韓国にまで抜かれ、これからどこまで順位を落とすのか？

世界トップを誇った製造業の生産性（一人当たり）も、この20年で15位に転落。ホワイトカラー（事務職）の生産性も先進国36カ国中20位という情けなさ。

どこをとっても日本は落ちこぼれなのだ。

そら恐ろしくなる。オリンピックなどに浮かれている場合か！

「失われた30年」で豊かさ26位に転落

日本は底なしで貧しくなっている。

それを示す指標には、こと欠かない。

しかし、以下のデータに、ほとんどの日本人は、絶句するはずだ。なぜなら、これらデータを日本政府は、ひたすら隠しているからだ。

重ねて、マスコミも隠す。無視する。口を閉じる。

そもそも、大手メディアは、政府・大企業の御用マスコミだ。共犯者だから、政府とグルになって日本のマイナス情報は徹底的に隠蔽する。大衆を操作し、情報で扇動する。

しかし、大衆は、新聞やテレビが、マインドコントロールのために存在するとは知らない。それらが〝洗脳〟装置であることなど、死ぬまで気づかない。

かつて戦争で、あれほど騙されたのだ。

いい加減に気づけよ、と言いたい。

しかし、いまだに気づかず、大新聞をありがたがり、NHKを拝聴する。

そして、平和なテレビCMをニコニコ顔で眺めている。

まさに、脳天気といってよい。底無しのお人好し民族なのだ。

さて――。

日本の凋落、堕落の証拠を、これからご覧にいれよう。

日本がいかに貧しいか？　いかに悲しいか？

まず、「失われた30年」がある。まさに、平成時代がそれだ。日本人の7割は「平成はよい時代だった」と、答えている。その無知ぶり、鈍感ぶりに呆れた。

平成こそ、日本が底無しの貧しさに向かった、むなしい時代なのだ。

左のグラフは、日米英3カ国の過去30年の株価推移だ。これぞ、経済成長の指標だ。

日本の株価だけがマイナス圏に

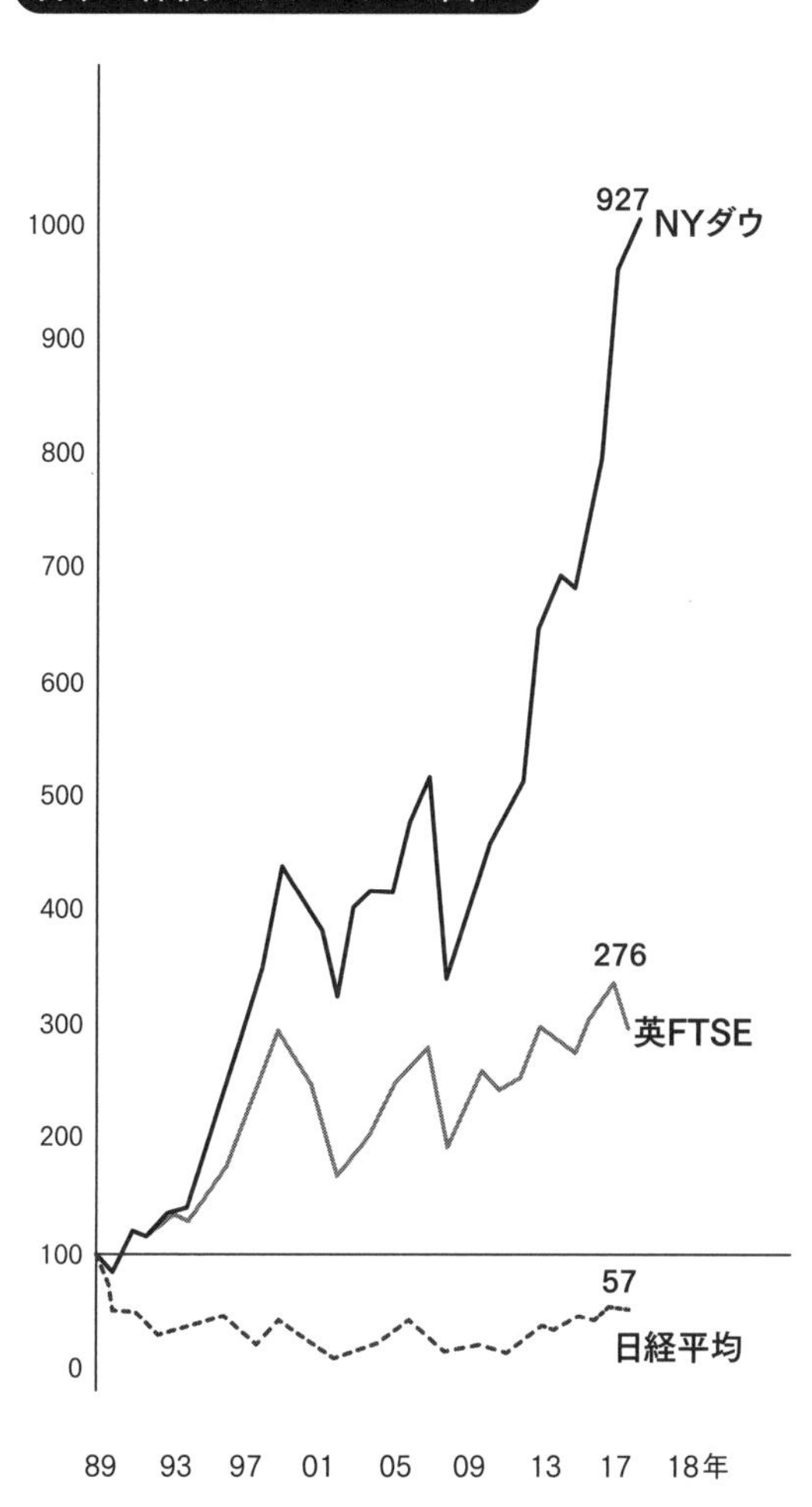

1989年を100とする。アメリカはNYダウを9・27倍に伸ばしている。英国はそれには及ばぬものの2・76倍。これに対して、日本はなんと0・57（日経平均）……。この30年で株価は、ほぼ半分に下落している。

さらば平成、この国はただ沈んでいく

「さらば平成――何も変わらないこの国は、ただ沈んでいく」

これは、経済評論家、大前研一氏の惜別の辞である（『週刊ポスト』ビジネス新大陸の歩き方）。

彼はこう記す。

「……ふり返れば、この30年は『失われた30年』だった。むなしさを抱えたまま、平成日本が幕を閉じようとしている」（同誌）

大前氏は振り返る。

彼は平成元年（1989年）、著書『平成維新』を上梓している。

「……その表紙には当時のGNP（国民総生産）の大きさを面積に置き換えて世界地図を描いたが、中国は日本の九州とほぼ同じ大きさでしかなかった。しかし、今や、中国のGDP（国内総生産）は、日本の2・5倍に膨れ上がっている。GDPは、平成の30年

間で、アメリカが3・6倍、イギリスが3・4倍、ドイツが2・8倍に成長したのに対し、日本は1・3倍にしかなっていない。中国が暴走する中、日本は世界の成長から取り残されてしまったのだ」（同氏）

平成維新で、日本の成長を願った大前氏。その胸中は察して余りある。

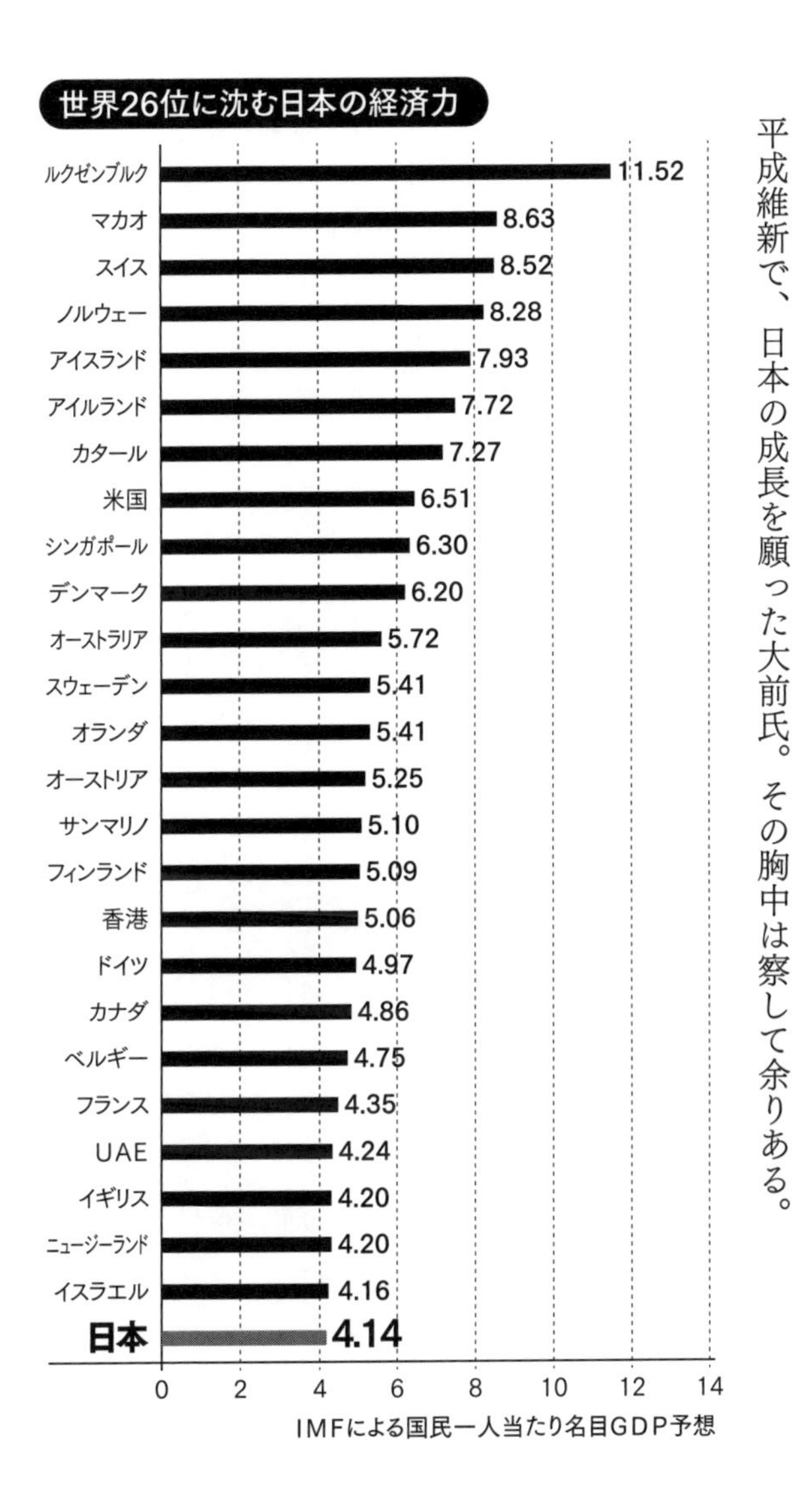

……日本は底無しに貧しくなっている。

それは、前ページのグラフの国民一人当たりのＧＤＰ（国内総生産）比較でも、すぐにわかる。日本は、世界で26位と惨憺（さんたん）たる状況だ。かつての栄光、夢のごとし。しかも年々、順位を落としている。つまり、どんどん貧しくなっている。

それは、日本の経済成長率が、どんどん他国に追い抜かれているからだ。

次ページの上のグラフは、ＩＭＦ（国際通貨基金）が予想する、１９８０年と比べた２０２３年の主要国の名目ＧＤＰ。日本は、米国、中国、ドイツ、インド、インドネシアの6カ国中、最低。

それにしても中国は日本の9倍、米、独の8倍とケタ外れ。インドも2倍強。つまり、今後この2国が急速に経済成長する、と予想されている。

借金財政はＧＤＰ比２３６％でＧ７中最悪

ＩＭＤが指摘するように、国家の財政悪化も深刻だ（次ページの下のグラフ。出典：ＩＭＦ、２０１８年4月）。

リーマンショックから10年、財政悪化は止まらない。ＧＤＰに占める借金残高の比率は２３６％。先進7カ国（Ｇ７）中、最悪だ。わが国は目の眩（くら）む借金漬けなのだ。

GDPの伸びも6カ国中最低

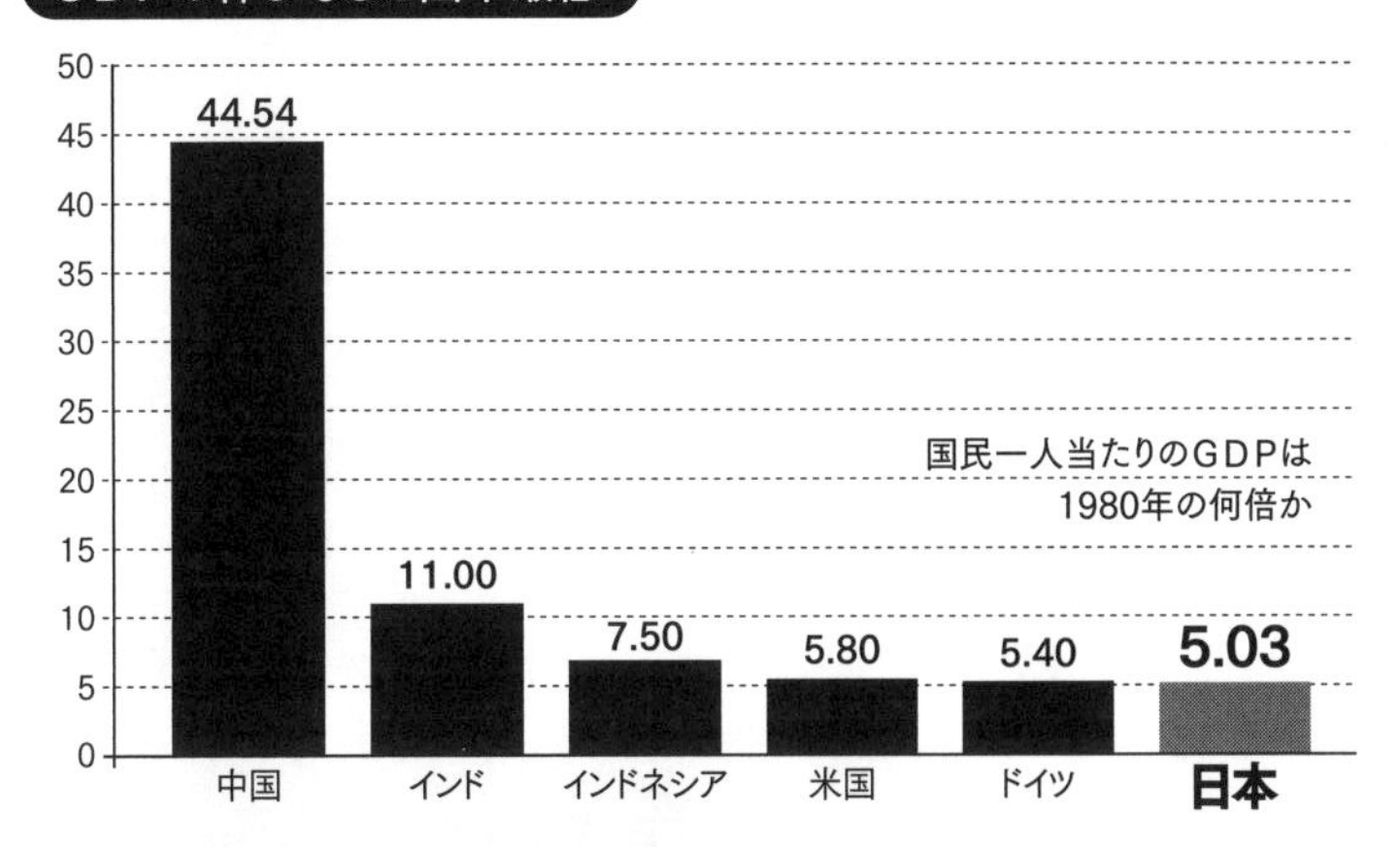

借金だらけ・危険水域に突入した国家財政

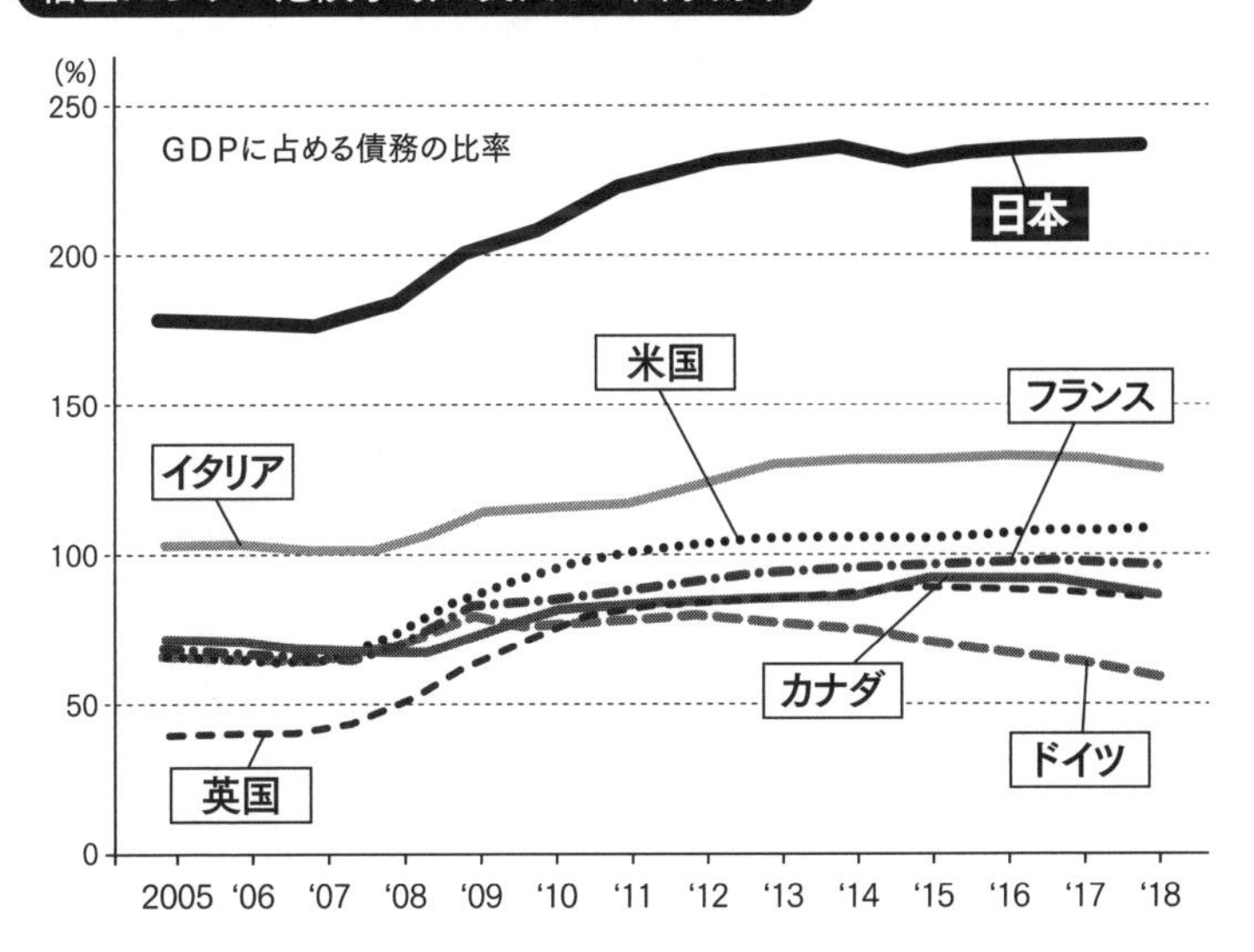

まるで底無し沼にハマっていくかのようだ。
「ほかの国は、経済危機から平常時に戻り支出を抑えるが、日本だけが予算を膨張させ続けている。リーマン級の経済危機が再発した場合、膨大な支出を伴う緊急の景気対策を打つことができる余力はどんどん小さくなっている」（『東京新聞』2018年9月14日）
ほかのG7各国は、ワースト2位のイタリアですら、国の借金は対GDP比で150%以下。財政危機が叫ばれるアメリカですら100%をわずかに超えるだけ。他は、債務をそれ以下に抑えている。だから236%という日本の財政悪化は、ただ空恐ろしい。
日本が〝景気対策〟を名目に、借金財政で支出を野放図に増やし続けたツケだ。
「……リーマン後に、英国やイタリアなども財政を監視する独立機関を設けており、G7で、ないのは日本だけだ」（同紙）
つまり、以来、日本はノーコンの暴走状態なのだ。

株価も日本は低迷、アメリカは絶好調

日本経済の凋落ぶりは、その株価の変動にも歴然だ。

1989年に高値ピークの3万8915円を付けた後、大暴落。その後の低迷は、まさに日本の低迷と重なる。安倍政権が年金資金をじゃぶじゃぶと投入して必死で買い支

えているものの、いつ2万円を切ってもおかしくない迷走ぶりだ。そして、今や下がり目はあっても、上がり目は、まったくない。

これと対照的なのがアメリカ経済である。米ダウ平均株価はじつにみごとに右肩上がりで成長を続けている。買うならアメリカ株だ（71ページのグラフ参照）。

トランプ大統領の鼻息が荒いのも当然だ。

それに比べて、日本経済は、死に体なのである。

「かつて、名門と呼ばれた日本企業が死にかけている」

大前研一氏は嘆く。

最近、夜中に偶然に観たテレビ朝日「朝まで生テレビ」で、司会の田原総一朗氏も、うつろなまなざしで、言った。

「30年前の世界企業トップ50社には、日本企業が36社も入っていた。今は、たった1社、トヨタだけですよ。これで日本、どうなるの？」

まさに、ご両人が呆然自失なのも無理はない。

「世界の企業時価総額ランキング」で、日本の最大企業トヨタですら、35位になんとか、残っているありさま。

そのトップ10を比較すれば、一目瞭然。

平成元（1989）年では上位10社中、なんと8社が日本企業だった。

これが平成30（2018）年では10社中8社がアメリカ企業。残り2社は中国企業。

失われた30年で、日本企業は壊滅状態に陥っているのだ。

しかし、この惨状を日本のマスコミは一切報じない。どうでもいい芸能人の不倫やドラッグ、通り魔事件などを、これでもかとばかりに報道する。

そして、令和だ、オリンピックだ、と浮かれ煽（あお）る。

まさに、マスコミの使命は「真実から大衆の目をそらし」、「愚民化する」ことなのだ。

自然エネルギー転換でも〝置いてけぼり〟

日本経済が低迷している原因のひとつが、新しい技術開発の立ち遅れだ。

その典型が、自然エネルギーへのシフト。世界は、とっくの昔に脱石油、脱原発に舵を大きく切っている。再生可能エネルギーの開発・投資は世界のメガトレンド（巨大潮流）なのだ。

しかし、日本は、この分野でも決定的に出遅れている。もう眼を覆（おお）うばかりだ。日本は、代替エネルギー開発の超後進国である。

それは、10年以上前から変わらない。ＧＤＰ当たりの風力発電導入量の国際比較だ。

日本を1とした場合、世界はどれだけ風力発電を行っているのか？

12年前で、日本は28位……！

目も当てられない惨状だ。

「……日本は、世界でも稀な自然エネルギー大国です」

わたしに向かって、こう言ったのはエイモリー・ロビンス博士（自然エネルギー財団理事）。彼は、世界の自然エネルギーの権威として有名だ。

１９９０年、ロッキー山脈中腹にあるロッキー・マウンテン研究所を訪ねた。建物は世界屈指のエコハウスだった。

彼は日本が世界の自然エネルギー開発のリーダーとなると確信し、熱望していた。

しかし、日本の政治屋、経営者が必死になったのは、〝自然エネルギー潰し〟だったのだ。

風力発電に限らない。あらゆる代替エネルギーを徹底的に妨害し、叩き潰して今日に至る。

その理由も明解だ。自民党をはじめ政府与党の政治屋たちが、日本を闇から支配する国際秘密結社イルミナティの走狗（そうく）だからだ。

何も知らない国民も哀れというより、阿呆である。

10年以上前から、このていたらく。

だから、自然エネルギー開発で、日本が決定的に落ちこぼれなのも当然だ。

自然エネルギー分野でも、今や中国が世界を圧倒的にリード。世界最大の風力発電量を誇るのは中国なのだ。

「中国が世界トップの風力発電大国!?」

この事実に、あなたは唖然、呆然だろう。

中国は、2位のブラジルを4倍以上も引き離す。

まさに世界の自然エネルギー開発のトップを独走している。

若者自殺率は世界ワーストワン、女性3位

経済、技術だけではない。「心」の面でも日本は、地獄だ。

日本人は、生きる気力すらなくしている。

たとえば自殺率。先進国で最悪レベル、世界6位。

とくに、若者の自殺率はワーストワン。女性の自殺率も3位と、目を覆いたくなる。

そして、「報道の自由」こそ、民主主義の原点である。

その国の報道がどれだけ自由か?

比較すればどれだけの民主国家であるかが、はっきり分かる。

さて――。わが日本の報道の自由度ランキングはなんと72位！

これは、パリに本部を置く「国境なき記者団（ＲＳＦ）」が、世界１８０ヵ国・地域を対象として発表。

まさに、日本は「モノを言えぬ国、書けぬ国」。

ジャーナリズムでも目を覆うばかりの非民主国家に転落している。

ちなみに英語能力も同じだ。中・高・大学と10年も勉強して、しゃべれない！

日本は暗澹（あんたん）たる状況にある。英語力は88カ国中49位と低迷（英語能力指数ＥＦ・ＥＰＩ、第8版）。５段階評価でも「低い」と認定された。

前年から12位もランクを落とす凋落ぶり。まだまだ、落ちていきそうだ……。

さらに、この春、映画評論家の友人と、東京芸大の文化祭をのぞいてみた。

絶句した。展示されている絵画のあまりのレベルの低さに、言葉を失った。

まるで、中学1年生の絵かと、見間違うほどだ。

一言でいえば、まるで生気がない。つまり、〝死んだ絵〟なのだ。

そして、技法も構図も、あまりに稚拙だ。これが、東京芸大か⁉

友人も、その低劣さ、お粗末さに、唖然としていた。

幸福度、女性の社会進出、環境汚染も最悪

心の尺度に「幸福度」がある。それも先進国の中でも日本は最低レベルなのだ。

「――日本人の幸福度、過去最低の58位」（『日刊ゲンダイ』２０１９年3月23日付）

国連は3月20日を「世界幸福デー」に指定している。その国別ランキングの報告書では、日本は１５６カ国中58位。前年の54位から、さらに4つも順位を下げている。

「日本は、人生の選択の自由度が64位、寛容さが92位と低く、総合的な幸福度を押し下げた」（同紙）

ちなみに、米国は19位、韓国は54位……。

「幸福度1位」は、2年連続でフィンランドだった。

女性の社会進出でも、日本は立ち遅れている。

そのわかりやすい目安が、議会における女性議員の割合だ。

日本でも２０１８年5月、国勢選挙や地方議会選挙で候補者数を男女均等にするよう政党などに促す議員立法「政治分野の男女共同参画推進法」が、参院本会議で全会一致で可決され、成立した。

これは女性の政界進出を推進するのが狙いで、２０１９年の統一地方選挙や参院選挙

から適用された。しかし、努力義務規定で、強制力はない。まあ、スローガン的な意味合いが強い。では、なぜこんな法案を、わざわざ成立させたのか。

その理由が、「各国の下院（日本の衆院）の女性議員比率の国際比較」で、はっきりわかる。日本はなんと165位……！

世界最低レベル。中国や韓国、ロシアに比べても、遅れている。

日本がいまだ、きわめて封建的な〝男社会〟であると、はっきりわかる。

女性の社会進出においても、日本は世界の〝落ちこぼれ〟なのだ。

環境や健康の面でも、日本は最悪水準だ。

「自閉症・発達障害の有病率」、「単位面積当たりの農薬使用量」は、韓国と日本がダントツ。農薬使用量はイギリスの3倍強。アメリカの6〜7倍も農薬漬けだ。

そして、「発達障害」も、韓国、日本がワースト2なのだ。

専門家は「明らかに両者は相関関係がある」と断定している。

つまり、農薬使用を強制されている韓国・日本で、農薬の神経〝毒〟が現れ、自閉症・発達障害を引き起こしているのだ。

両国は、早く言えば、米国の〝植民地〟である。

さらにわかりやすく言えば、イルミナティの〝奴隷国家〟なのだ。

だから、不必要な農薬の大量使用を強制され、若者たちの心を〝狂わせて〟いる。

しかし、この場におよんで「イルミナティって、何ですか？」と尋ねる〝知識人〟だらけ。はっきり言って、バカである。

もはや、このクニは度しがたい。

「日本病」、官僚主義で退行し動物化

わたしは、2013年、著書『日本病』で日本の没落を予告した。

そして、結果は、まさに残念なことに、予告どおりとなった。

本の帯には、こう書いた。

「――すべてが、遅すぎる！『臆病』『保身』『退行』が日本を滅ぼす!!」

さらに、警鐘を鳴らしている。

「ゾンビ政権アベノミクスに期待できるのか。なぜ負け続けたのか『失敗』の研究から『希望』の提言まで」

わたしは、同書で――「日本の失敗の原因は、官僚主義ウイルス」――と断定した。

それは、いったい何か？

官僚主義を論じるには社会学の巨人マックス・ウェーバーを抜きにしては語れない。

彼は、恐ろしい予言を残している。

「……人類は、官僚主義で滅びるだろう」

この官僚主義を理解しないと、日本の凋落は、まったく理解できない。

かつて、ジョージ・オーウェルは共産主義社会を、『アニマル・ファーム（動物農場）』に例えて、描いた。旧ソ連を崩壊させたのも、この官僚主義である。

官僚主義とは、別の言い方をすれば、保身主義である。

それが、だんだん悪化して、最後は動物化する。

これが、官僚主義の崩壊にいたる10段階である。

①「保身主義」＝組織の中で、自分の地位を保とうとする。

――これこそが、官僚主義の始まりだ。無責任体制を引き起こす。堕落と腐敗が続く。

②「無責任主義」＝保身のために「遅れず、休まず、働かず」。目立ってはいけない。

③「前例主義」＝「前例がない」が、何もやらないことの言い訳になる。

④「保守主義」＝過去の成功体験を振り返るだけ。だから未来を見ない。

⑤「縦割り主義」＝互いに縄張りをつくり、不可侵で生き残りを図る。

⑥「派閥主義」＝これは組織内組織で、互いに、抗争し合うようになる。

⑦「密告主義」＝他人、他派閥を蹴落とすために、密告がとびかう。
⑧「虚言主義」＝真実は組織内で言えなくなり虚言だらけになる。
⑨「退行現象」＝文字通り、能力、気力が退行し、組織は末期症状。
⑩「動物化」＝退行が進み幼児化し、悪化して動物化する。
——もはや人間的な知性、感性は失われ、動物的本能で攻撃し、行動するようになる。

官僚主義ウイルスは、あらゆる組織内に、知らないうちに忍び寄る。
ウイルスに負けない体質、体力は、個人主義者にこそある。
まずは、国民が独立独歩で生きる気概を持つことだ。
そして——。
日本凋落のもう一つの原因が、アメリカに対する隷属根性だ。
その奴隷政権、安倍内閣を打倒し、新たな政権を打ち立てることだ。
奴隷国家の先に待つのは、人間が動物並みに扱われる家畜国家なのだ……。
時間は、もう残されていない。

投票箱は〝ゴミ箱〟だった！息の止まる不正選挙

——なるほど！これが安倍政権が超長期安泰のカラクリ

もはや日本はナチス支配下と同じだ

「……日本は、もうナチス支配と同じですよ」

電話の向こうの声は、震えている。

山田豊文氏。栄養と健康問題を告発する日本屈指の研究者である。

その彼から、参議院選挙直前に電話があった。

「船瀬さん、エライことです。日本は壊れてますよ。YouTubeで孫崎亨さんが告発してます。ぜひ拡めてください」

あの温厚な山田さんらしからぬ、怒りに震えた声……。怪訝な思いで、その理由をたずねる。

「選挙結果が、ごまかされていたんです」

具体的には、数年前、猪瀬直樹が都知事を辞任した後の選挙だ。

「本命で、舛添要一が立候補していました。その結果、驚くべきことが分かったのです。東京23区他すべてで、舛添の得票率は、前回当選した猪瀬のピタリ48％だったのです。こんなこと、統計的には絶対ありえません。つまり、コンピュータで入力した決定的証拠です」

耳を疑った。不正選挙については、わが盟友リチャード・コシミズ氏が、積極果敢に裁判で闘っている。しかし、〝敵側〟が、これほど決定的な証拠を残していたとは……。

壊れている日本、「報道の自由度」72位

さっそく、慣れない操作でYouTube 画面に「孫崎亨、不正選挙」と入力。出た……！　正義感あふれる孫崎氏が、壇上で熱弁を振るっている（次ページの写真）。市民グループ、ワールドフォーラムでの講演記録だ。
タイトルは「孫崎亨氏、『不正選挙の明白な証拠！　選挙結果が操作されている。報道の自由度世界72位の日本』」

つまり、この選挙で、舛添を知事にすることは選挙前から決まっていた。しかし、対抗馬の得票率をゼロにするわけにはいかない。

そこで、無難なところで猪瀬の得票の48％と〝闇の選挙本部〟は、決定したのだ。

そこでパソコンに、猪瀬得票数×0・48と入力した。パソコンは馬鹿正直に、すべての選挙区で、ズラリ48％の数字を瞬時に打ち出した。

〝闇の本部〟の子分たちは、それを選挙結果として公表した。

統計学的には、絶対にありえない。起こりえない。

まさに、孫崎氏の言う「選挙不正の決定的証拠」だ。

孫崎氏は、深刻な顔で声を絞り出した。

YouTubeで不正選挙を糾弾する孫崎亨氏

「……このクニは、相当に壊れています」

不正選挙など、初めて耳にした――という人は、ただ耳を疑うだろう。

なぜなら、新聞やテレビで「不正選挙」なる言葉を一度も聞いたことがないからだ。

それも、あたりまえ。孫崎氏は、怒りと嘆きの言葉を続ける。

「いいですか！　日本は『報道の自由度』は世界72位なんですよ。韓国より下です」

発展途上国と言われるアフリカのタンザニアより下だ……（２０１６年、対象１８０ヵ国）。

マスコミ〝出口調査〟は犯罪的ペテンだった

YouTubeを開いて、驚いた。

不正選挙を告発する投稿があふれている。まさに、テンコ盛りだ。

たとえば、「《不正選挙の疑惑》開票速報、出口調査、マスコミのアンケート調査」。

これは「マスコミの開票速報こそがペテン」という驚愕（きょうがく）の事実を告発している。

冒頭で、語りかける。

「……世界では、まともな選挙など、ほとんど行われていません。それでも、日本の選挙だけは、『正しい』と信じられますか？」

午後8時の時報と同時に「2016参院選挙速報」。テレビ東京、日本テレビ、NHKなどテレビ6社の独自の「速報」画面。

そこには「与党＋改憲勢力で、全体の3分の2うかがう」「自民、単独過半数うかがう」の文字（NHK）。各党の〝獲得議席数〟まで表示している。

断っておくが、この時点で全国の投票所は閉まったばかり。投票箱は、まだ投票所にある。箱を開けてもいないのに、なんで各党の〝得票〟を、マスコミ各社は一斉に発表できるのか？

「……このように〝投票終了〟と同時に、〝当確〟が決まる日本の選挙……」（同）

しかし、その頃、投票箱は、まだ開票もされていない。

告発画面も問いかける。

投票終了と同時に始まる選挙速報番組

「街の声」「アンケート」はヤラセの嵐

「……マスコミは『アンケート調査』を行い、『街の人の声』と称して、選挙結果が出る数日前には、各政党の獲得議席数を予想しています」

マスコミの報道とは何なのか?

「……マスコミが行っている『アンケート調査』、『街の声』は本当に信用できるのでしょうか?」

そして、これらが〝デッチアゲ〟である証拠を突き付ける。

「写真1」は、女優・酒井法子被告の覚醒剤裁判の街頭インタビュー(香川県から出てきた元親衛隊の秋本志保と名乗る女性)。

「写真2」は、俳優、押尾学被告判決の「ミヤネ屋」街頭インタビュー。「押尾の十年来のファン」を語る。

「写真3」は、別の死刑判決の傍聴人の一人として囲みインタビュー。

「写真4」では、デモの先頭で、プラカードを掲げて叫んでいる。

「写真5」は、ドラマ『相棒』の街頭番宣にもファンとして出演していた。

他の番組ではラッパを吹き(「写真6」)、他のニュースではJリーグ応援の仕込みに

街頭インタビューがデッチアゲの証拠

◀写真1＝のりピーの親衛隊が

▲写真2＝押尾学裁判に駆けつけ

▲写真3＝別の判決にも登場

▲写真4＝デモの先頭で叫び

▲写真5＝ドラマの宣伝にも

▶写真6＝ラッパも上手

▶写真7＝サッカーも応援

美人クライシス・アクターのヤラセもいる

◀写真A＝昭和天皇実録を閲覧して

▲写真B＝新宿御苑で天気リポート

▲写真C＝火災現場のマンションに住み

▲写真D＝報道記者として
岸田政調会長に迫る

▲写真ア＝他にもデッチアゲの証拠が多数

（「写真7」）……。

告発者は「単なるエキストラが〝街の声〟!?」と、絶句している。

「写真A」（以下94ページ）は「昭和天皇実録の閲覧に訪れた人」として登場した美人のヤラセ。同一人物が、天気リポートにも登場。新宿御苑の来園者としてコメント（「写真B」）。

「写真C」はマンション火災で一人暮らしの高齢女性重体のニュースで「同じマンションに住む人」として登場。

「写真D」は、同じ女性が報道リポーターとしてニュース番組に写っている。

同じように仕込みのエキストラが、街頭インタビューなどに答える例は、余りに多い。

「写真ア」も一般人を装ったヤラセ〝捏造〟報道番組だ。

同じ男性がなんと4つの番組に登場している。

告発ブログも、結論づける。

「……マスコミが報じる『アンケート調査』『街の声』は、意図的に造られたものです」

このように、マスコミが根拠にする「街の声」「アンケート調査」は、悪質な〝ヤラセ〟〝でっちあげ〟の物的証拠が存在する。

ちなみに、このようにマスメディアに登場して、世論を扇動する〝役者〟を、外国では「クライシス・アクター」と呼ぶ。主に、彼らは偽のテロの〝犠牲者〟をリアルに演じて報酬をもらっている。血まみれになり、泣き叫ぶ、まさに迫真の演技。しかし、彼らは〝危機を演じる〟役者なのである。典型的なのは、あのボストン・マラソン〝テロ〟だ。

〝闇の勢力〟がでっちあげた事件の被害者を、彼らはリアルに演じ、その〝凄惨〟な画面は全世界に配信された。こうして、世界の報道も捏造され、人類は〝洗脳〟され続けている。

マスコミはもちろん、選管さえもグルだった!

あなたは、唖然として声もないだろう。

しかし、ここまで追及されてもマスコミ側は「各投票所で『出口調査』を行った結果の予測だ」……と言い張るだろう。

YouTubeのブログは、その言い逃れを粉砕する証拠を突き付ける。

「……マスコミの〝出口調査〟によって、開票率0%でも、8時1分には〝当確〟が出ている。しかし、本当にマスコミの出口調査は、信頼できるのでしょうか?」

それを否定する決定的証拠がある。

市民の出口調査で「〝最下位〟の公明、山口那津男委員長が当選！」という、ありえない事実が明らかにされている。

市民団体が、２０１３年、参院選挙で独自の出口調査を行っている。

場所は、都内杉並区桃井第三小学校投票所。朝７時から夜８時まで、徹底して聞き取りを行った。

その結果は衝撃的だ。

得票率１位は、山本太郎氏。そして、最下位９位は公明党の山口委員長。得票率はわずか４％……！　それでも、山口氏は楽々当選している！

９人中最下位が、なんで当選するのか？統計学的には０・１％未満。まさに不正選挙！　これは、ミステリーでも、なんで

市民団体が東京・杉並で行った独自の出口調査

もない。

マスコミは、出口調査をしていない。そして、各社は、平然と〝闇の本部〟から送られるニセの当確情報を垂れ流してきたのだ。

さらに、市民グループのメンバーたちは、口々に選管の対応の恐ろしさを発言する。

「……出口調査するわたしたちに対して、選管は警察まで呼んで追い払おうとした。これほど民主主義に反することはありえない！」

つまり、選挙管理委員は、まさに不正選挙のグル……つまり、共犯だった。

告発者は、最後に、このように訴える。

「……あなたの〝問題意識〟が、この腐敗した国を変えます」

暴かれた安倍晋三・地元の不正選挙

選挙に立候補した当事者からの告発もある。

オリーブの木・黒川敦彦氏がかつて体験した〝選挙不正〟だ。

「山口4区選『ムサシ』不正選挙、疑惑の真相！　安倍晋三に新疑惑」

これは、総理大臣の不正選挙を具体的に暴いている。

このとき黒川氏は、無所属新人として立候補。開票96％で、得票数１９７５票。

安倍首相の地元・山口4区の票数はあまりに不自然

開票96％

当	安倍晋三	自前	106,480
	藤田時雄	希新	19,001
	西岡広伸	共新	13,961
	黒川敦彦	無新	1,975
	郡　昭浩	無新	59

集計をやり直すと露骨な数字の操作が明らかに

開票率	96.15%	100.00%	差分	カウント用束数換算
安倍晋三	90,000	88,345	−1,655	−3.3
藤田時雄	18,000	16,666	−1,334	−2.7
西岡広伸	13,000	12,760	−240	−0.5
黒川敦彦	1,500	6,212	+4,712	+9.4
郡　昭浩	0	586	+586	+1.2
合計	**122,500**	**124,569**	**+2,069**	

「これは、あまりにおかしい」と、ライバルの共産党関係者からも疑問の声が相次いだ。

そこで、選管を問い質すと、彼らは、慌てて集計をやり直した。

その結果、なんと黒川氏の得票は、6212票と、4712票もハネ上がった。

そして、安倍の票が、1655票も減っている……（前ページの表）。

開票数の矛盾を突くと、選管はパニックになった。

やり直すと、露骨な票の操作が明らかになったのだ。黒川氏は、「黒川と書いた500票の束、9個を、安倍票に移していたようだ」と、呆れ返る。

黒川陣営が、抗議しなければ、闇に葬られたまま……。

このような大胆不敵な不正が、開票現場でも、堂々と横行しているのだ。

ロスチャイルド、ロックフェラーの選挙結果支配

このような不正選挙が、白昼堂々と行われてきた。

あなたは、声を失ったはずだ。

その現況を、一人の青年がYouTubeで告発している。あなたも拡散してほしい。

「……不正選挙、7月21日、参議院選挙――日本の選挙は、ロスチャイルド・ロックフェラーに支配されている」

わたしも彼の熱意をここに拡散し、応援する。

「……安倍政権は、ロスチャイルド・ロックフェラーによって仕組まれた？」

「……選挙は、大きな権力によって操作されている」

「投票用紙が書き換えられている」

「一人で何枚も用紙を偽造して票数を水増ししている」

「投票結果は、あらかじめ決められている出来レースだ」

そこで「ムサシ」という会社名が登場する。

以下、YouTubeより。


……ムサシは、投票用紙の自動読み取り機を造っている会社なのですが、手書きの人名を読み取る機械は、この会社しか作っていません。

ムサシとは、どんな会社？

１９４６年創業、印刷機械製造メーカー。１９９６年、ジャスダック上場。筆頭株主は上毛実業。2位のジョウリン商事、共にペーパーカンパニー。ジョウリン商事は会長の住所と一致。上毛実業は社長の住所と一致。そして上毛実業の筆頭株主はアルガープという会社。そして、その親会社はダヴィンチ・ホールディングス（ロックフェラー財閥）。その筆頭株主はフォートレス・インベストメント社。それを所有するのがゴールドマン・サックス（ロスチャイルド財閥）による重層支配。

このように、ロスチャイルドとロックフェラーが、日本を乗っ取るためにムサシを手に入れたのです。

……ムサシを購入し、すでに日本を裏で操っている彼らが、選挙に導入させたのです。

2012年の衆議院選挙から衆議院選挙からムサシの自動票読み取り機が導入されました。

この衆議院選挙は、当時、与党だった民主党が負け、野党だった自民党が勝って、安倍政権が誕生した選挙です。

ムサシ製の機械を導入しなかった自治体の開票は遅く、朝刊に結果が載せられないとマスコミがバッシングすることで、ムサシ製の機械がより導入されることになりました。

選挙スタッフの派遣、機械・用品のレンタル・配送、会場の設営、機器の保管と点検——選挙会場のことすべてをムサシが握っている。

ムサシの個人株主は安倍晋三の父である安倍晋太郎だと、報じられている。

その死後は、安倍総理が株を引き継いでいる可能性が高く、もし、安倍総理がムサシを実質支配しているなら、選挙にムサシの機械やスタッフを使ってはいけないのでは？

そして、投票用紙も、なぜ鉛筆なんでしょう？

なんで、ボールペンとかじゃダメなんでしょうか。

字を消したい？　なんのために？　投票用紙は、ペンで書いたとしても、かんたんに消せる紙を使っているらしい。

先ほどのフォートレス・インベストメントの会長は、ＣＦＲ（外交問題評議会）のメンバー。これは、アメリカが関わる国際問題について研究する機関です（著者注：創立者はディビッド・ロックフェラー。運営資金は同財団が拠出）。国の組織ではなく、会員制の非営利団体。その名誉会長がディビッド・ロックフェラー。外交に関してアメリカ政府にも、圧力がかけられる組織ということです。

かのスターリンいわく「票を数える者が決定する」

告発は続く——。

……２０１３年7月21日の参議院選挙で高松市では、ある候補者の得票数が0票だと発表されました。それに対して「投票した」という有権者が再点検を求めました。

開票立会人も立ち会っていましたが、最終的に6人が逮捕された。開票立会人が意味をなさない。不正をすることは可能ということは、明らかです。（著者注：異議申し立て、メディア取材に、選管責任者は投票箱の再チェックをかたくなに拒絶。彼もグルだ！）

他にも、ある候補者Aさんの訴えでは、開票結果をテレビで見ていると、開票中にサーバーが壊れたか何かで、開票途中の票が出なくなり、結果は別の候補者が当選した、ということで、実際は、何があったか？

Aさんの立会人に話を聞くと、開票途中でムサシの機械4台すべて壊れて、入れ替えることになった。その計数機が、壊れるまでAさんの票が多かったのに、機械を〝交換〟したら別の候補者ばかりの票になったそうです。

それでAさんは異議申し立てをしました。

その結果は——。

■故障した機械の「記録」がない！　■交換依頼は当選した陣営の立会人。

■距離が遠く見えないのに指摘!?　■故障箇所を追及すると黙り込む。

■コンピュータの遠隔操作が判明。　■それでも票の再集計を断固拒否。

ライバル候補者と選挙管理委員が仲間で、票数を操作するためにライバル候補者が、「機械が故障した」と言って、交換させ、その機械には、遠隔操作で外部から入って、票数を操作したっていうことですね。

他には、投票所と開票の場所は違うんですけど、投票箱をタクシーで開票所に運ぶのを追いかけると、まだ投票箱が移動中なのに、〝開票結果〟が出ることがありました。

その地域は出口調査が、ほとんど行われていなかった。

なのに、なんで、そんなことがわかるんだって、という話になっています。

あと、出口調査では、我々、一般人が調査すると、マスコミがやっている（？）結果と、全然ちがう結果になる。選管から、出口調査を妨害される。

「期日前投票の票は、全部改竄されているので、意味がないですよ」と言っている方がいる。同じ筆跡の投票用紙が何枚も見つかる、といった話もあります。


告発YouTubeは、スターリンの肖像で終わる。そこには――。

「票を投じる者が決定するのではない。票を数える者が決定するのだ」

独裁者スターリンの言葉は、真実である。

現職警官として初めて警察の裏金造りの実態を告発した仙波敏郎氏が、暴露する。

「……鹿児島県阿久根市の選管は、期日前投票はすべて（投票箱を）開けて、中の票を操作しています」

これは、一事が万事。その他の投票場でも、裏で平然と行われているはずだ。

まさに、期日前投票には、まったく意味がなかった……。

ムサシの遠隔操作ですべての投票結果を〝いじる〟

少し長丁場になる告発もある。

「不正選挙ドキュメンタリー動画」

これは、3時間に及ぶが、ぜひ、見てほしい。

腐敗した日本の衝撃事実が、すべてこめられている。

「……不正選挙の真実――この動画を見ずして日本に未来はない」

一人の青年が素顔をさらして、命がけで告発している（下の写真）。

わたしは、彼の勇気に感服した。

ここで、票読み取り機ムサシのコンピュータに、〝バックドア〟裏口があることを告発した女性Aさんが登場する（次ページの写真）。

不正選挙を素顔をさらして告発する青年

「……『遠隔で入るためのIDとパスワードを、2006年の段階で設定した』と、社長本人が言っています。〝バックドア〟は普通リコール対象になります。それを通じて侵入することができます。その〝バックドア〟が2006年段階で、設置されている。恐ろしい問題が出てきました。だとすれば確信犯です。後から遠隔で入れるように、わざわざ〝バックドア〟を付けた」

Aさんは断言する。

「……実際の票数に細工をすることは、何でもできます。数字をいじれるのだから、開票結果を全部いじれます」

しかし、Aさんが裁判で訴えても、選管はすべて拒否、つっぱねる。

「……異議が出たり、裁判になっているもの

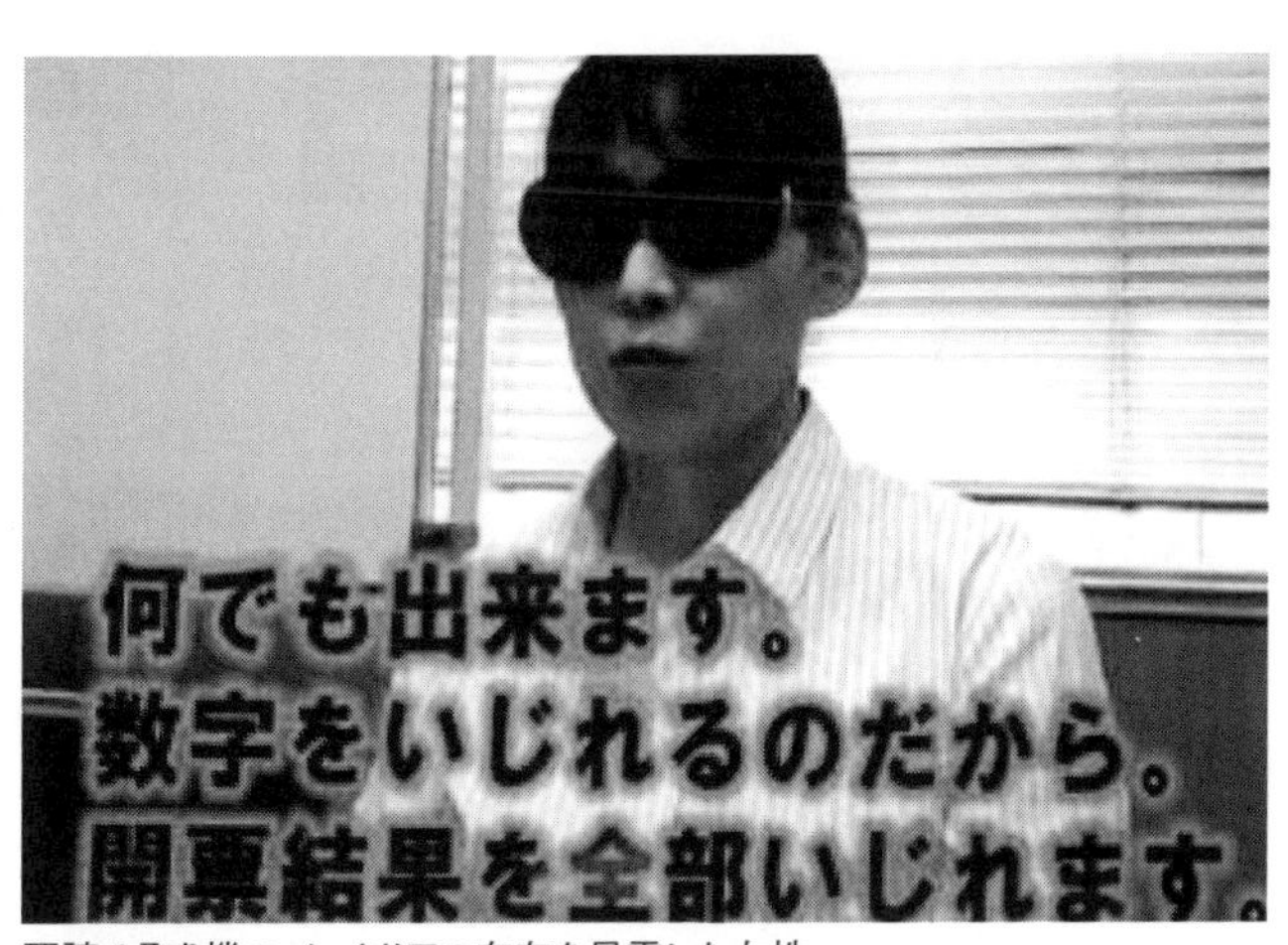

票読み取り機のバックドアの存在を暴露した女性

は、少なくとも調べなければいけない。なのに、計数機も調べなければ、投票箱も開けない。これでは、何のための異議申立制度なのか、裁判なのか、分からない」

ここで、アメリカで不正選挙を告発している研究者が、皮肉まじりで述べている。

「……自動票数計算機を信じる人がいたら、脳みそを検査してもらう必要がある」

投票用紙の撮影に選管「警察を呼ぶぞ！」

「選管は投票箱を再チェックさせない!?」

それには、わけがある。中は、不正投票用紙だらけだからだ。

たとえば、同じ筆跡の投票用紙が十数枚も出てきている。

次ページの写真は、自民党の丸川珠代候補の投票用紙。さらに、完全コピーした、同候補者の投票用紙も、複数発見されている。

2013年7月21日に行われた参院選で、ある開票所（福生市第七小学校）で、不審に思った立会人が、写真を撮ろうとした。

すると、森田選管局長が、体を張って阻止してきた。

そのやり取り――。

森田：「写真はダメです。警察呼びますよ。秩序を乱した、ということで」
抗議者：「秩序を乱したのではなく、これはおかしいと……。なぜ、撮っちゃ、いけないのですか？」
森田：「秩序を乱すから……」
抗議者：「わたしは、総務省に聞きました。『写真を撮ってはいけない』という規則はない、と言われましたよ」
森田：「……（禁止と）決めたんです」
抗議者：「そんなこと、いいんですか！　国民公平なわけじゃないですか」
森田：「いや、これ（用紙）は、個人の秘密ですから」
抗議者：「個人情報じゃないですよね！」
森田：「事実上は、個人の秘密ですよ。警察

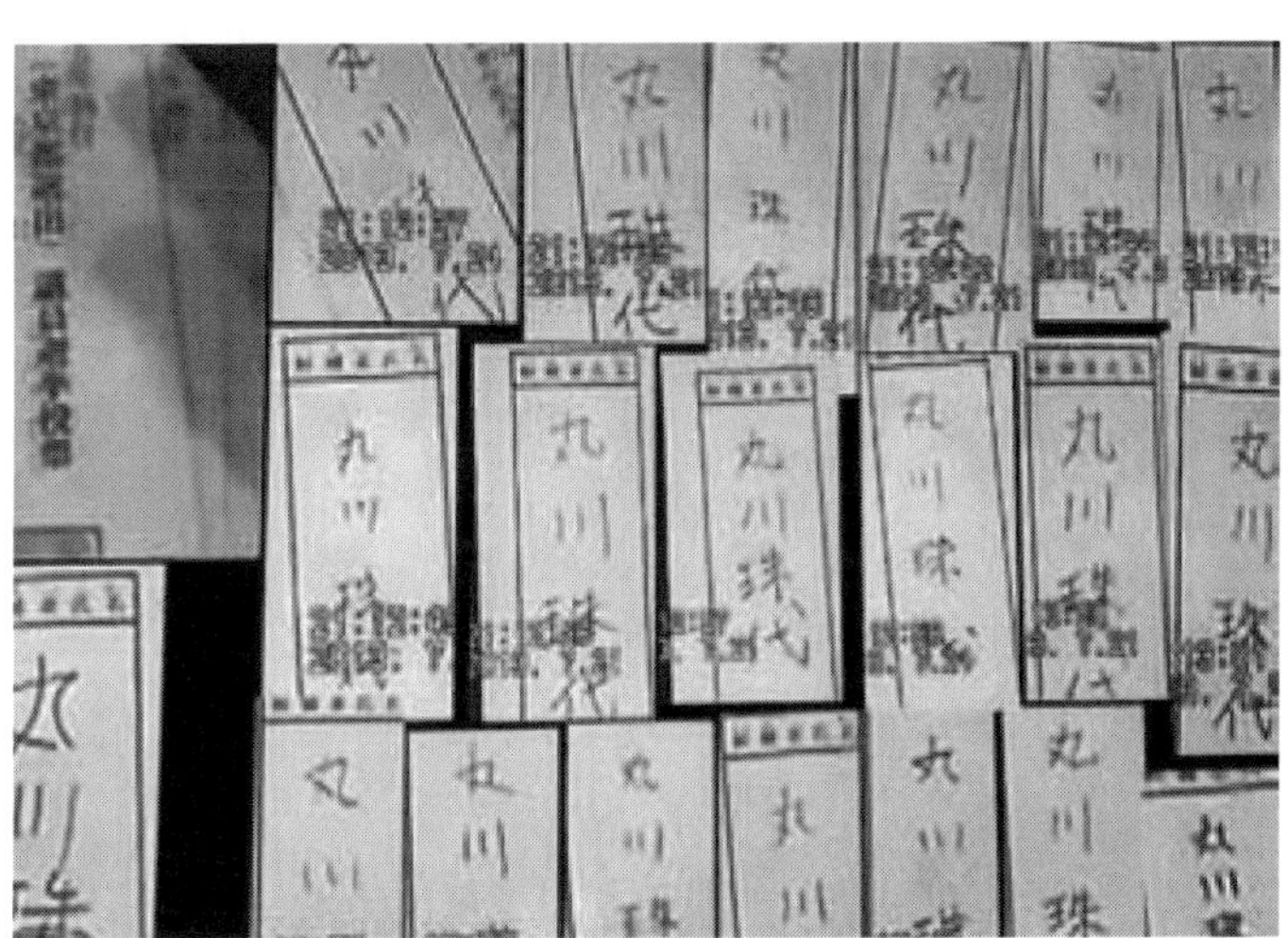

同じ筆跡の投票用紙が見つかっている

を呼びますよ。秩序を乱したということで」

ばかばかしいを通り越している。

告発者も、こう断言する。

「……開票立会人の〝抗議〟が、受け入れられないのなら、立会人の意味などあるのか？

深夜に選管職員が投票箱をヤミ操作！

……さらに、動画は、長崎・諫早（いさはや）市選挙管理委員会の「不正集計」の決定的な証拠映像を公開している（次ページの写真）。

２０１４年12月14日、開票作業終了。午後11時49分、県へは選挙結果の報告も終わっている。しかし、日付の替わった15日午前1時頃、片付けられて誰もいないはずの開票場の体育館に、明かりが灯り、数人の影と集計機の作動音が鳴り響く。

何をやっているんだろう？　だれもいないはずなのに……。

そこにあった光景は。封印されたはずの票を袋から取り出す中道選挙管理事務局長。その票をかたわらの女性が集計機に入れている。この女性も選管の職員。よくみれば次長の船岡もいる。選管の人間が、終了した開票所に残り、封印された箱を開封し、票の数え直しを行っていた！

……袋から取り出して数え直したり、そんなことが、許されるのだろうか？

2013年夏、参議院選挙で高松市の候補者得票数が〝ゼロ〟という珍事件が起きた。

この件で、再チェックを求める候補者や取材メディアに対して、山地選管事務局長は、こう答えている。

「ゼロだったことに関して何か言われても、今回の選挙の開票は、もう確定しているので、それを市の選管独自の判断で、例えば、再点検などすることはできない」

告発した青年は嘆く。

「投票用紙は、厳重に保管されなければならない

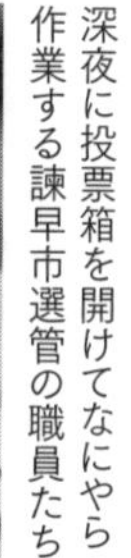

深夜に投票箱を開けてなにやら作業する諫早市選管の職員たち

のです。しかし、一方では、こっそり開封して、選管職員が夜中に票の操作を行っている。そして、不正への異議申立には、箱をあけさせない。おかしいとは思いませんか？」

わたしは、孫崎亨さんを始め、YouTubeで不正選挙の告発動画を配信する若者たちを、心より誇りに思う。

その勇気を称えたい。

「不正選挙ドキュメンタリー動画」を配信した青年は、最後に太平洋戦争で散った特攻隊の青年たちの映像で結んでいた。

彼もまた、この国の未来に命を捧げる覚悟なんだ……と、胸が熱くなってきた。

彼らの勇気をムダにしてはいけない。

まず、あなたにお願いしたい。ここに登場した動画を、広めてほしい。

周囲の人に語りかけてほしい。

この勇気ある告発を、SNSなどで広く拡散してほしい。

知ることこそが、勝利なのだから。

そして肝に銘じてほしい。

マスコミは敵だ。テレビは観るな。大手新聞を取るのもやめなさい。

真実を知らなくてはならない。愛する日本を救うために……。

第II部 殺人医療に有害食品、次々はげる化けの皮

ガン死者、日本だけがなぜ増える？

――猛毒〝治療〟でガン患者の8割が殺されている！

欧米はガン、心臓病、脳卒中が急減中

ガン死者が海外では減っている。

WHO（世界保健機関）統計でも、1990年代をピークに、先進各国、軒並みに右肩下がりで減少している（次ページのグラフ。人口10万人当たりのWHO統計）。

ところが、日本だけが異常だ。

ガン死亡率が、男女とも右肩上がりで急増している。とりわけ男性の激増ぶりは異様と言うしかない。

この違いに気づいている人は、ほとんどいない。

あなたも初めて知って驚愕(きょうがく)しているはずだ。

これも、テレビ、新聞などのマスメディアが必死で隠蔽(いんぺい)する〝不都合な事実〟である。

日米両国のガン死亡率を比較すると、やはり1990年代、アメリカのガン死亡率が急減し、日本より下回っている。

アメリカは右肩下がりで減っているのに、日本は右肩上がりの天井知らず。

さらにアメリカの疾患ごとの死亡率変化は、1960年代後半から、まず心臓病と脳卒中が減り始めている。

心臓病死は、1990年には半減している。20年間で半分になり、さらに2020年には、4分の1に急減しているのだ。

脳卒中も2000年には1960年の3分の1という減少ぶりだ。

日本だけガン死者が増えている

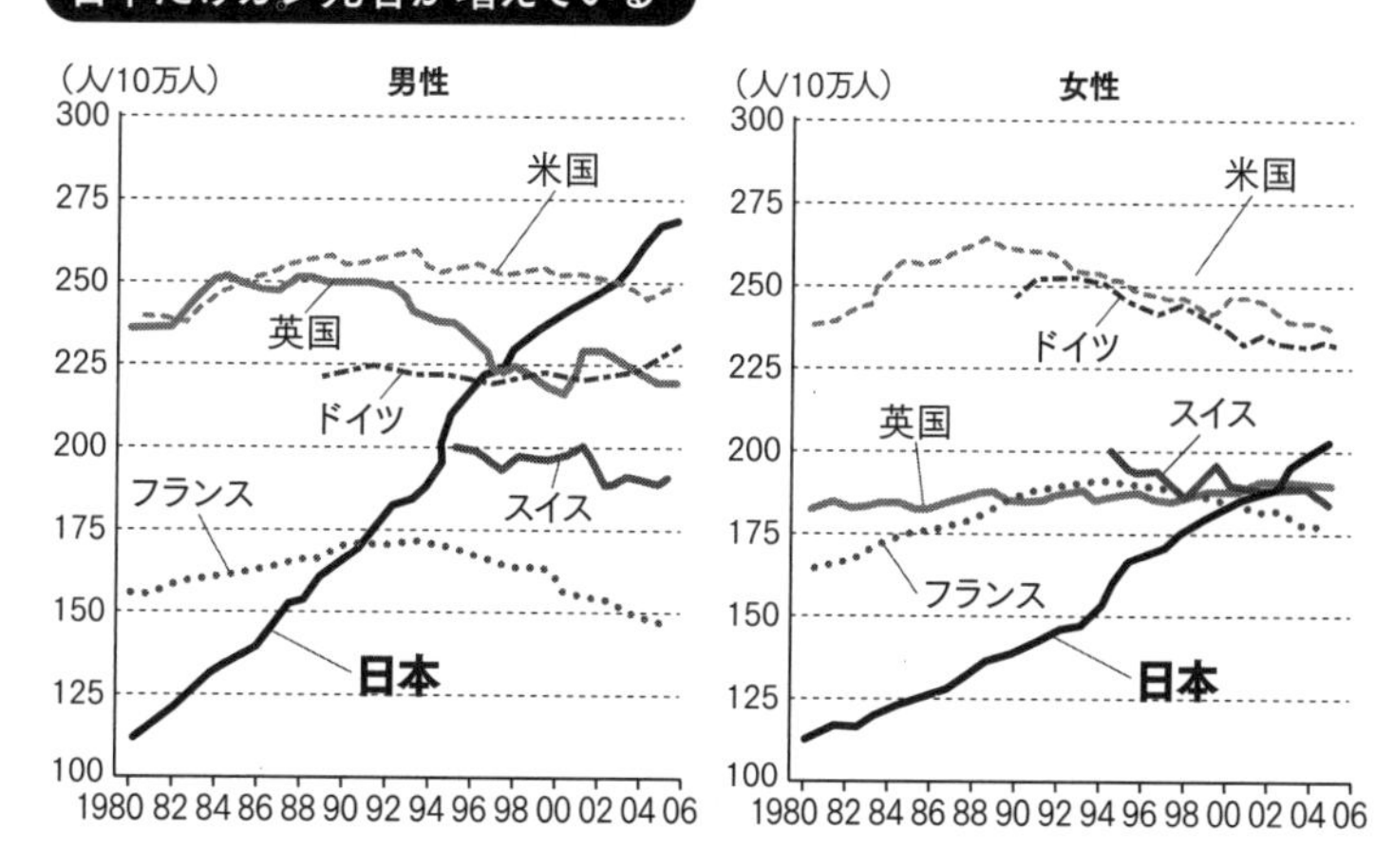

欧州諸国にも、同様の傾向がみられる。

アメリカでガン死が減り、日本で増えるナゾ

アメリカでは1960年からゆるやかに伸び続けていたガン死亡率も、90年をピークに右肩下がりで減少に転じている。

アメリカといえば、われわれには肥満大国のイメージがある。

しかし、現実には心臓病、脳卒中、さらにガンを減らしている。

病人大国はヘルシー大国に変化し始めている。

もういちど、ガン死亡率に着目してみよう。

前ページのグラフでは、男性のガン死亡率の差が決定的だ。

なぜ、欧米ではガン死亡は急減し、日本だけ急増しているのか？

現在、日本では……2人に1人がガンになり、3人に1人がガンで死ぬ……と、言われている。

「ガンで死亡した人は37万2986人（2016年）」（厚生労働省統計）

さらに「新たにガンと診断された人は86万2452人（2013年）」（同）

そして、これらの数値は、欧米先進諸国とは真逆に右肩上がりで増え続けている……。

日本における年齢別のガン死亡率はどうかというと、50代後半から男女とも、〝ガン死〟が激増している。

さて――。

厚労省統計は、これら死亡者を〝ガン患者数〟、〝ガン死亡率〟として、公表している。

つまり、これら、おびただしい人々は、〝ガンにかかり〟、〝ガンで死んだ〟と政府は言っているのだ。

抗ガン剤は猛毒、発ガン性で患者を殺す

はたして、そうだろうか？

わたしは2005年、『抗ガン剤で殺される』という著書で、ガン治療を根本から告発した。さらに『抗ガン剤の悪夢』、『病院に行かずに「治す」ガン療法』……など、ガン治療批判の本を書き続けてきた。

おそらく、その数は日本で最多だろう。

一連の取材、執筆で、わたしは、ガン治療の驚愕事実に気づいた。

たとえば、『抗ガン剤で殺される』の取材で厚労省・抗ガン剤担当の紀平哲也技官に直撃した。

――抗ガン剤は、ガンを治せるのですか？
紀平：お答えします。抗ガン剤がガンを治せないのは周知の事実です。
――抗ガン剤には毒性がありますか？
紀平：大変な毒物です。それで亡くなる方が、大勢いらっしゃいます。
――抗ガン剤には、発ガン性があるそうですね？
紀平：大変な発ガン物質です。それで、新たなガンができる方が大勢いらっしゃいます。

あなたは、このやりとりに、呆然自失だろう。

約15年前に、すでに、厚労省は「抗ガン剤はガンを治せず、猛毒で患者を大勢〝殺している〟」と認めている。

さらに「抗ガン剤とは猛烈発ガン物質で、多くの患者に新たなガンを増やしている」と公言しているのだ。

抗ガン剤、放射線、手術、三大療法はまるで無力

厚労省の担当技官は、とっくの昔に――抗ガン剤は「ガンを治せない猛毒・増ガン

剤」と知っていた。

しかし厚労省は、これら驚愕事実を、いっさい国民に知らせることなく、抗ガン剤治療を強力に推進してきた。

まさに大量詐欺、大量殺人……政策そのものだ。

あなたが〝ガン〟と告知され、病院に行くと、まちがいなく抗ガン剤、放射線、手術を強制される。

なぜなら、これらは、政府が「指示書」（ガイドライン）に明記した「通常療法」だからだ。

だから、ガン三大療法と呼ぶ。

日本では〝三点セット〟強行を免れることは、ほとんど不可能だ。

抗ガン剤は、厚労省技官ですら「猛毒でガンを治せず、多くの患者を殺す、増ガン剤」と認めているにも、かかわらずだ。

では、放射線治療はどうか？

故・安保徹（あぼとおる）新潟大名誉教授（当時）は、「抗ガン剤より悪い」と断言している。

やはり、強烈な発ガン性があり、患者の生命力を弱らせ、死なせてしまう。

三番目の手術はどうか？

「ガンは、切っても、切っても治らない」

多くの医師たちが、苦く告白している。

ガン細胞をすべて取り除くことなど不可能なのだ。

そして、ガンは、いじめるほど凶暴化する……。

〝ガン死〟80%は、ガン治療の犠牲者だ!

三大療法は、無力なだけではない。

じつは、ガン患者の多くは、この三大療法で〝殺されている〟のだ。

〝ガン死〟の80%は、抗ガン剤など〝治療〟の副作用死――といえば、あなたは絶句するだろう。

それを、証明するのが岡山大学医学部付属病院での出来事だ。

インターンA医師は、担当する数多くのガン患者が、〝治療〟の甲斐なく次々に死亡していくことに疑問を感じていた。あれほど患者さんのために、できるかぎりの治療を施しているのに、どうして次々に亡くなるのか?

そこで、その死因を徹底的に調べることにした。

同大付属病院で1年間に死亡したガン患者のカルテを精査して、死因を解明した。

すると……、驚愕事実が判明した。

〝ガン死〟として処理された患者の直接死因は、ガンではなかった……。

その多くが感染症死だった。肺炎、インフルエンザ、カンジダ菌などカビ感染症、寄生虫……などで、多くの患者は死亡していた。

ガンと闘う免疫細胞（白血球）殲滅の狂気

その理由も判明した。患者に投与された抗ガン剤には、強烈な細胞毒性がある。

抗ガン剤は、正常細胞もガン細胞も、見さかいなく攻撃する。

その攻撃は、骨髄造血機能も破壊する。はやくいえば、血球細胞がことごとく攻撃される。すると、赤血球、血小板、白血球が激減する。

白血球（リンパ球）は、別名、「免疫細胞」と呼ばれる。

免疫細胞は、体内にできた異物（ガン細胞）などを攻撃、排除する働きがある。

そのうち、ＮＫ細胞（ナチュラル・キラー細胞）は、ガン細胞を発見するや、体当たりで攻撃し、内部に3種類の毒性たんぱくを注入して、瞬殺する。

次ページの写真は、そのＮＫ細胞が、ガン細胞を攻撃、殲滅する様子を写したものだ。

二つのガン細胞は死骸となった（下）。これらは、酵素で分解され、体外に排泄される。

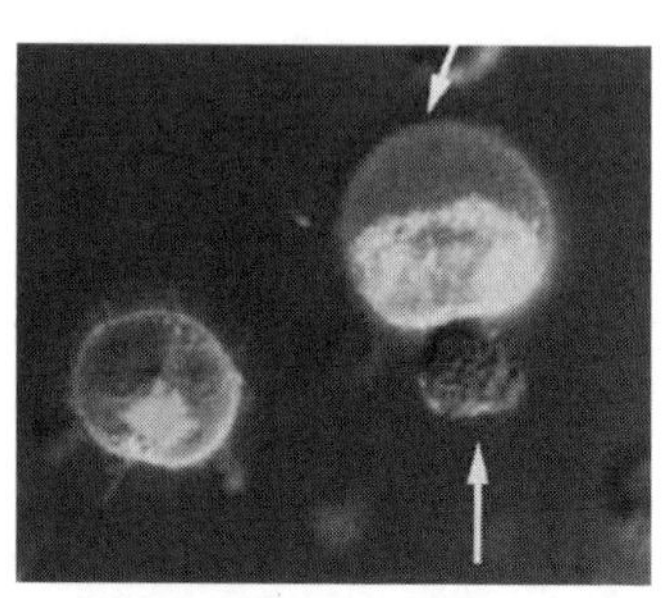

ガン細胞を攻撃するNK細胞

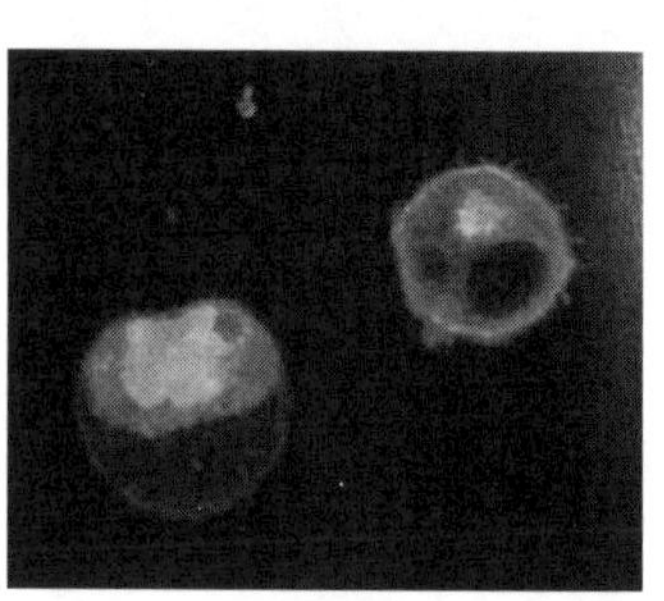

攻撃によって2つのガン細胞は死骸となった

このように白血球は、ガンと闘う重大な使命をおびている。
とくに、NK細胞は、ガンと白兵戦で闘う頼もしい兵士たちだ。
それら免疫細胞を、抗ガン剤の猛毒は、まっさきに攻撃するのだ。
大喜びするのは、ガンだ。
大笑いで、もっとやれ！　やれ！　と手を叩いて囃(はや)しているだろう。
さらに、抗ガン剤は、赤血球を激減させ、患者を貧血にする。
さらに血小板激減で体内出血が起こり、患者は衰弱する。
これもガンと闘う免疫力を殺(そ)ぎ、ガンを喜ばせ、増殖させる。

なんのことはない。ガンと闘うはずの抗ガン剤投与が、逆に、ガンと闘う生命力を破壊し、ガンを増大させている。

つまり抗ガン剤の正体は……、〝増ガン剤〟だった。

同じことは、放射線にもいえる。

放射線は遺伝子を破壊し、猛烈な発ガン性がある。

さらに、免疫細胞を攻撃、殲滅して、ガンと闘う免疫力を弱める。

手術も同じ。やはり患者の体力を奪い、免疫力を弱らせる。

毎年30万人、抗ガン剤などで〝殺される〟

前述、岡山大学付属病院のA医師は、膨大なカルテから、これら「三大療法がガン患者の真の死因である」ことに気づき、証明したのだ。

彼は、この衝撃事実を「博士論文」にまとめた。

そして、医学部長の審査を受けるため持参した。

論文に目を通した学部長は、顔面蒼白となった。息は荒く、その手は震えている。

そして、突然、なんと論文をビリビリッと引き裂き、破り捨てたのだ。

「こんなことが患者の遺族に知られたら、キミもわたしもただではすまんゾ！」

唇を震わせるその姿が、目に浮かぶ。

こうして、ガン治療が患者を大量殺戮（さつりく）している……という事実を明らかにした「博士論文」は〝幻の論文〟となった。

ただし、A医師の証言から、同大病院で〝ガン死亡〟とされた患者のちょうど80％が、じつは三大療法の犠牲者であることが、明らかになったのだ。

つまり、抗ガン剤、放射線、手術……の重大副作用死。はやくいえば、医療ミスで殺された。死亡者の80％が医療過誤による犠牲者なのだ。

この数字は、ものすごく大きい。

政府・厚労省は「毎年37万人強が、ガンで亡くなっている」と公表している。

だから、国民も「ああ、それだけガンで死んでいるのか」「ガンって、こわいよね」と納得している。

しかし、37万人の80％である約30万人の死因が、じつは〝ガン〟ではない。猛毒抗ガン剤、有害放射線など、ガン治療の「医療ミス」による死なのだ。

貴重データ「ガンの謎を解く10大報告」

〝ガン死者〟の80％が、ガン治療による虐殺であった……。

あなたは、衝撃で言葉もないだろう。

それを証明するデータがある。

さらに欧米諸国が、なぜガン死を減らしているかを、裏付ける決定的なデータもある。

わたしは「ガンの謎を解く10大報告」と呼んでいる。

❶１９７７年、「マクガバン報告」

正式名称は、米上院栄養問題特別委員会報告。５０００ページに及ぶ報告書は「先進諸国の食生活は、まったく間違っていた」という痛恨の反省に満たされていた。

「先進諸国に多発するガン、心臓病、糖尿病、肥満、精神病、難病も、食べ間違いが原因だった」（同リポート）

その誤った食事とは、高カロリー、高たんぱく、高脂肪、高砂糖、高精白の〝五高食〟だった。それを〝五低食〟に変えよ！　と、同報告は勧告している。

すると、「ガンは発生も死亡も20％減らせる」「心臓病は25％、糖尿病は50％減らせる」（同）。

ここに、欧米で、心臓病、ガンなどが減少していったヒントがある。

アメリカをはじめ、各国政府は、この「報告」を受け、各国とも、食事改善による健康増進に着手したのだ。その結果、115ページのグラフに見られるような、めざましい効果が現れたのだ。

❷1985年、「デヴュタ証言」

米国立ガン研究所（NCI）のデヴュタ所長は、議会でこう証言した。

「抗ガン剤治療は無力である。わずかにガンは縮小することもあるが、ガン細胞はすぐに遺伝子を変化させ、抗ガン剤の毒性を無力化してしまう。これは、害虫が農薬に耐性を獲得するのと、まったく同じメカニズムだ」

今から30年以上も前に、アメリカの最高レベルのガン研究機関が「抗ガン剤は無効」と議会証言しているのだ。しかし、この重大情報を世界のマスメディアは完全黙殺、圧殺した。それは、日本のマスコミも同じ。

ガン学界は、この事実に箝口令（かんこうれい）をしいた。

❸アンチ・ドラッグ・ジーンズ（ADG）

NCIデヴュタ所長は、ガン細胞が抗ガン剤の刺激で、耐性を獲得するために変異させた遺伝子DNAを、「ADG」（反抗ガン剤遺伝子）と命名した。

この存在で、抗ガン剤投与で一時的に回復した患者が、のちに急速に悪化するメカニズムも解明された。現在、抗ガン剤認可には「2割以上の患者のガンが半分に縮小」

（4週間以内）が前提となる。これでも、8割にはまったく〝無効〟なのだ。

いかに、いい加減なデタラメ基準かわかる。さらに、2割のガンがいったん縮んだとしても、約3ヵ月後にはADGが作動して、ガン腫瘍は、再び増殖を始める。

それも、抗ガン剤の毒性で凶暴化しているのだ。

❹1985年、「東海岸リポート」

アメリカ東部の20近い医療機関、大学が参加。末期の肺ガン患者742人を、4つのグループに分類。抗ガン剤実験を行った。3種類、2種類、1種類F、1種類G。つまり複数投与群と単数投与群の〝効果〟を比較したのだ（F、Gは、異なった抗ガン剤を意味する）。

■腫瘍縮小率＝3種類：20％、2種類：13％、1種類F：9％、1種類G：6％。複数投与ほど縮小率は高い。これまでの常識なら〝有効〟と判定するが……。

■副作用死＝複数投与群は、開始わずか数週間で死亡者が続出した。その数はF、Gに比べて7～10倍に達した。

■生存期間＝3種類群が、もっとも短かった。そして縮小率6％と一番小さかった1種類Gが、もっとも「生存期間」が長かった。

■再増殖（リバウンド）＝20％と縮小率がもっとも高かった3種類は最速5ヵ月で元のサイズに戻った。縮小率6％の1種類Gも約8ヵ月で元のサイズにリバウンド。ADGの働きで再増殖を始めたガンはさらに増殖して、全員の命を奪ったのである。

■放射線＝同リポートは、放射線治療の影響にも触れている。生存期間、再増殖するまでの期間、いずれも長かったのは、それまで「一度も放射線治療を受けていなかった」患者たちだった。

❺1988年、「NCI報告」

NCI（前出）は、「ガンの病因学」という数千ページのリポートを公表。そこで「抗ガン剤は強力な発ガン物質であり、投与されたガン患者の別の臓器・器官に新たなガン（二次ガン）を発生させる」と結論づけている。

つまり、アメリカの最高研究機関が、抗ガン剤の正体は〝増ガン剤〟と断定したのだ。

❻1990年、「OTA報告」

米国議会技術評価局（OTA）は「抗ガン剤は副作用が極めて大きく、効果は極めて小さい」と、真っ向から否定。それに対して「通常療法では治らない末期ガンも、代替医療では多く治っている」と高く評価。それは……食事、栄養、瞑想、運動、呼吸、心理、笑い……などを紹介し、「これらの成果を正当に評価すべきである」と結論づけている。

❼1990年、「チェコ・リポート」

これはガン検診が、逆にガンを増やすことを、証明した決定的報告だ。6300人の男性（全員喫煙者）をA、Bの2グループに分けた。Aグループは、年2回、肺ガン健診を3年間、計6回受けた（検診は、胸部X線撮影、喀痰（かくたん）検査＝顕微鏡でガン細胞検査）。Bグループは、いっさい何もしなかった。実験3年から、さらに3年後に検診「効果」が判定された。

■肺ガン発生率：検診を受けたAグループは、受けないBより1・32倍も肺ガンにかかっていた。

■肺ガン死：やはり、検診組AがBより、1・36倍も肺ガン死していた。

■総死亡数：こちらも、検診組AがBより、1・16倍も多く死んでいた。

発ガンの最大原因は、X線被ばくによると考えられる。

胃ガン、大腸ガンなどは、さらに被ばくが多く、リスクも高い。

医者は、その事実をまったく患者に教えない。

動物たんぱくは史上最悪の発ガン物質だ

❽2005年、「チャイナ・スタディ」

米中の政府機関・大学による大がかりな「栄養と健康」の共同研究「チャイナ・プロジェクト」の結果をまとめたものだ。

指揮をとったコリン・キャンベル博士（米コーネル大）は「牛乳・カゼインなど動物たんぱく質が史上最悪の発ガン物質」と結論づけている。

全カロリーに占める割合を10％から20％にするだけで、ガンは9倍に激増。また発ガン物質アフラトキシンだけでは、発ガンしないのに、カゼインの割合を5％から20％と4倍にしただけで、ガンは約20倍に爆発的増加を示した。

これは、これまでの発ガン物質原因説まで、否定する。

つまり、真実の発ガン物質は、過剰な動物たんぱく質であった。

❾2009年、「ウイスコンシン大学報告」

腹七分で、サルを育てると、腹十分のサルに比べガン発生率は半減した。

カロリー制限が、ガンをはじめ他の疾病や老化防止に、きわめて効果があることを20年にわたるアカゲサルの実験で証明した。

カロリー制限サルは、この時点で1・6倍も長生きした。

⑩2010年、「南カリフォルニア大学報告」

南カリフォルニア大学のバルター・ロンゴ博士は、ガンのマウスをA、Bの二つのグループに分けた。

A：抗ガン剤、断食。B：抗ガン剤のみ。

すると、Aは生存率が高く、腫瘍成長は遅く、転移は少なかった。

さらに「ガンのマウスに断食させたら、ガン細胞はきわめて弱体化した」。

この結論を受け「断食は何千億円もの抗ガン剤に勝る」と博士は結論づけている。

『タイムズ』紙（2012年2月10日付）も、この結果を「ファスティングは、ガンと闘うベストの方法だろう」と称賛している。

——以上、ガンの謎を解く「10大報告」である。

ここまで読めば、読者のあなたも、欧米諸国が、ガンをはじめ心臓病、脳卒中など、いわゆる生活習慣病を克服しつつあることが、おわかりいただけたはずだ。

マクガバン報告を皮切りに、各国政府は、❶〜⑩の学術報告を、真摯に受け止め、国民の健康向上のための政策に導入したのだ。

たとえば、アメリカでは政府主導で「ヘルシー・ピープル計画」なるキャンペーンを展開してきた。

それは、300項目もの健康チェック・ポイントを一つひとつクリアしていこう、というもの。公的機関、病院、学校、大学なども広く参加し、着実に成果をあげている。

それにくらべて、日本では、政府関係者どころか研究者や医師ですら❶〜❿論文の存在など、まったく無知なのだ。

マスコミ関係者にいたっては、赤子同然だ。

そして、もっとも無知なのは、国民大衆であろう。

無知な医者が勧める殺人的なガン治療を、無知な患者がありがたくいただく。

わたしは、現代の病院を〝有料人間と殺場〟と呼んではばからない。

そこでは、と殺職員は医者であり、と殺される家畜は患者である。

無知の悲劇は、喜劇に等しくなる。

そして、目覚めてほしい。

日本国民に、致命的に欠けているのは、正しい〝情報〟という名の〝クスリ〟である。

99％が死ぬ！・抗ガン剤オプジーボ、ノーベル賞の黒い罠

――幻の医学賞・山極勝三郎の無念

承認前、グラフが捏造（ねつぞう）されていた！

「夢の新薬オプジーボは、無効だった！」

ベストセラー『患者よ、がんと闘うな』で著名な近藤誠医師は、自らの公式サイトで、真っ向から批判している。

彼は、ガン治療の悪魔性を、徹底批判し続けている希有な医師だ。

その彼が、新薬オプジーボの浮かれムードに、巨大な一石を投じた。

彼は、米国の権威ある医学雑誌『ニューイングランド・ジャーナル・オブ・メディシン』に掲載されたオプジーボの臨床試験データに着目、驚愕した。

「……オプジーボ投与した患者の生存曲線は、他の抗ガン剤と変わらない。にもかかわらず、高額な新薬として承認されたのはなぜか！」

患者の生存率は1年、2年……と急激に落ち込んでいる。

謳い文句「ガンに対する免疫力を高める」は、まったくの空証文だった……。

近藤氏による告発は医療専門家によるオプジーボ批判のさきがけのノロシとなった。

だが、この近藤氏の鋭い批判は、なぜかテレビや新聞で流されることはなかった。

その後、各方面からの非難囂々の嵐は、とまらない。

「……オプジーボのメッキがはがれてきた！」

指摘するのは杏林予防医学研究所、所長の山田豊文氏。

値下げされたとはいえ、１００mgが27万８０００円もする、この超高価薬の化けの皮がはがれてきた。つまり、隠されていた真実が暴かれてきた。

その一つが『サンデー毎日』（２０１８年12月16日号）の告発特集。

タイトルは「オプジーボはホントに肺ガン特効薬か?」、さらに「ノーベル賞で注目度アップ！　タブーに挑戦、ガン免疫療法〝不都合な真実〟」と続く。

さらに「衝撃データ全公開！」と、決定的な証拠を暴露している。

次ページのグラフ（上）は、オプジーボ承認前の、他の抗ガン剤との生存期間の比較データ。オプジーボの方が、対照抗ガン剤より、生存率が高くなっている。

ところが、承認後のデータ（左のグラフ・下）では、生存期間が両者まったく同じ。

上のグラフでは、横線9～24ヵ月間で、オプジーボの生存率が高くなっている。なのに、承認後のデータでは両者が重なっている。

つまり、承認前データは、明らかに捏造（ねつぞう）されている。

近藤医師も、この衝撃事実を告発したのだ。

もっとも重大な「薬効を証明する」生存期間データが捏造されていたのだ。

オプジーボ承認は、即、撤回されて当然である。

承認を得るためにデータが捏造されていた！

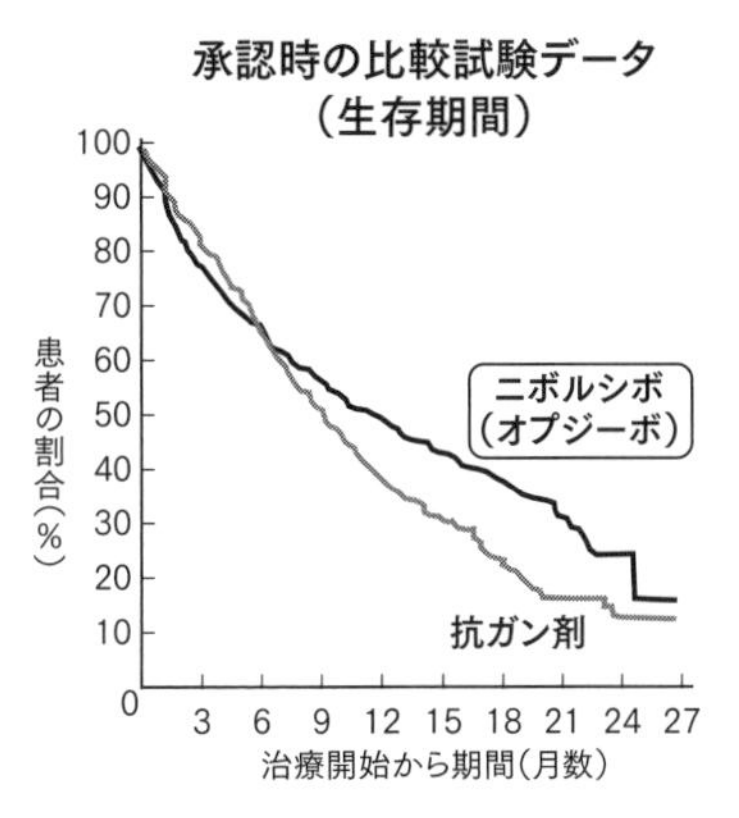

＊小野薬品工業とブリストル・マイヤーズが医師向けに作成した承認時評価資料に掲載されたグラフから作成

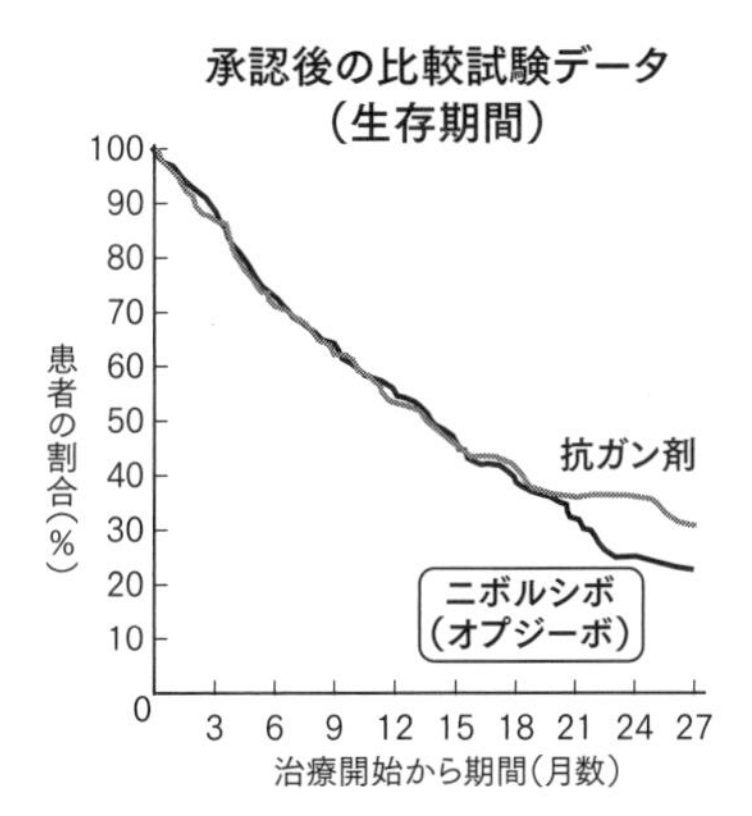

＊医学誌『The NEW ENGLAND of MEDICINE』に掲載されたグラフから作成

投与すれば早く死ぬのは当たり前

山田氏も承認時のでっちあげを批判する。

「……オプジーボは、猛毒の抗がん剤より猛毒であり、2年もすれば8～9割の人が亡くなり、残りの人も時間の問題というデータになっています。承認を取るときに、都合のよいデータが使われ、フタを開けてみると、『全然違うじゃないですか』ということです。日本では、一度承認を取れば、後から取り消されることがない（！）という土壌が根付いていますから、このようなことがたびたび起こります」（山田氏のFacebookより）

つまり、承認後、不正がバレても安泰！　呆れ返った〝土壌〟だ。

「……また、オプジーボを投与すると、より早く死んでしまうというのは、当たり前といえば当たり前です。（中略）免疫システムのブレーキを利かなくするわけですから、自分が自分によって殺されていくことになります。逆に、がん組織は、〝ニッチ〟と呼ばれる砦（とりで）をつくって、薬物が届くことを防ぎます。

その〝ニッチ〟内にいる免疫細胞は、がん細胞の味方ですから、ブレーキが壊されたところでがん細胞（少なくとも、がん幹細胞）が、（免疫細胞から）攻撃されることはありません」（同）

つまり、オプジーボ唯一の謳い文句……免疫細胞強化でガンを制圧……も、嘘八百だった。

「……『サンデー毎日』の文中に『……オプジーボの作用原理自体に何か大きな欠陥なり、見落としがあると考え直すのが妥当なのではないでしょうか』というコメントが述べられていますが、欠陥や見落としはあり過ぎです。シャーレの中で培養していたがん細胞と免疫細胞（T細胞）の関係は、生体組織中ではほとんど反映されません」（同）

実験室の空論にノーベル賞を与えた愚

「微小なレベルでは、上述した〝がんニッチ〟という組織が形成されますし、その中の免疫細胞スイッチの状態は、シャーレの中の免疫細胞のスイッチの状態とは異なっています。また、がん細胞や他の組織からコミュニケーションツールとして放出されるマイクロRNAや、各種のサイトカインは、（シャーレ）培養系では再現できません。要するに（ヒトのような）多細胞動物の体は、培養系では、ほとんど再現できないのです。それは、どのようなコミュニケーションが生体内で行われているのかの全貌を解明することが、今の人類では不可能だからです」（同）

これで、オプジーボ免疫治療理論は、完全崩壊した。

こんなペテンに満ちたインチキ薬を承認した厚労省は、完全にグルだ。

こんな詐欺グスリにノーベル賞を与えたノーベル財団も、狂っている。

山田氏によると、生体内ガン細胞は、状況変化に応じて、人類が想像もつかないような組織ぐるみの変化をする。

実験室の人工環境と生体内では、まったく異なる動きをするのだ。

「工業分野なら、実験室の結果は応用できる。しかし生命分野では、そんなに単純ではない」（山田氏）

シャーレと人体では、ガン細胞はまったく異なる。

山田氏は、幼稚な「実験室発祥の空論がノーベル賞を取った」ことに驚いている。

半数以上が1年で死亡、治る確率は1％未満

オプジーボは、ほとんどガンに効果がない。それは、「説明書」を読めばわかる。

「……奏功率25・7％……標準治療と比較して、死亡率を41％低減させ……1年生存率42％……」とある。

1年生存率が42％、そして、3年生存率18％……ということは、オプジーボ治療を受けた患者の半数以上が1年以内に死んでいる！

わたしの周りにも「投与したらアッという間に死んだ」と身内を殺された人々の嘆きが続出している。

日本綜合医学会理事の井上明氏は、憤る。

「……こんな効かない薬を、大注目させるのは……国民に夢を与え、少しでも国民の心が薬漬け医療から離れないようにしたい……という、医薬産業に対するメディアの忖度なのでしょうか？」（井上氏）

さらに、〝奏功率〟という医学用語にもゴマカシがある。

患者の方は、これを〝治る率〟と勘違いする。

そうではない。

〝奏功率25・7％〟とは、「25・7％の人が治る」確率ではない。

それは、なんと、「わずか1ヵ月だけ、ガン腫瘍が縮小する」確率なのだ。

「……その後、全員が死んでも有効と認める数字です。テレビ、新聞が『20～30％の患者に有効！』といえば、誰でも『20～30％の患者が助かる＝治る！』と、思って当然です。しかし、治っているわけではありません。完治する人は、1％以下です」（同）

つまり、オプジーボ治療を受けた患者の99％以上は、死ぬ運命にある。

言いかえると、〝薬殺〟される運命にあるのだ。

ここでも、テレビ、新聞の罪は底無しに深い。

〝奏功率〟と〝有効率〟と〝治癒率〟は、まったく異なる。

しかし、その違いを、いっさい説明せずに、国民をサッカクさせる。

〝洗脳〟された大衆が〝夢の新薬〟にナダレを打って殺到するように、仕向けているのだ。

「……健康商品で、こんな宣伝をしたら、誇大広告で、即逮捕です。しかし、ガン治療にだけには、許されている」（井上氏）

抗ガン剤なみの超猛毒、戦慄の重篤副作用

オプジーボは〝ガン免疫治療薬〟と銘打っている。

従来の抗ガン剤は、超猛毒である。

それは、うすうす、大衆も気づき始めている。

身近でも、抗ガン剤で、〝毒殺〟された悲劇はゴロゴロある。

「抗ガン剤は怖いよね」「やっぱり治らないよ」

そんな庶民たちには、オプジーボは希望の光に見えた。じっさい、ノーベル賞報道の後、多くの患者や家族たちが押し寄せている。

〝闇の勢力〟はニンマリだ。

マスコミ紹介の〝免疫治療〟の謳い文句に惹かれるのも当然だ。

「オプジーボは、体にやさしい、ガン治療薬」と、庶民大衆は、メディアで刷り込まれてしまった。元毎日新聞記者、山田寿彦氏（鍼灸師）は、オプジーボの副作用を調べて驚愕する。

「驚くべきことに一般的な抗ガン剤と同様、多くの重篤な副作用が報告されています」

これは、オプジーボの「医薬品添付文書」に記載されていた。

■**発現率の高い副作用**：疲労・倦怠感、発疹、悪心、嘔吐、かゆみ、食欲減退、下痢、発熱、甲状腺機能低下症……など。

■**重大副作用（生命に関わる）**：間質性肺疾患、筋無力症、横紋筋融解症、大腸炎、免疫性血小板減少性紫斑病、1型糖尿病、肝機能障害、腎障害……。

この副作用群を一目みて「抗ガン剤と同じ超猛毒だ！」と直感した。

「副作用は、枚挙にいとまがありません。それを指摘したメディアは、ごく一部に過ぎません」（山田氏）

マスコミが、あえてこれら重大、重篤な副作用群に触れないのも、当然だ。

〝かれら〟の使命は、もともと大衆の〝洗脳〟装置なのだ。

〝闇の支配者〟イルミナティの走狗。〝かれら〟に真実の報道を求めるのは、木に登って魚を得ようとするに等しい。

〝夢の新薬〟ノーベル賞のお祭り騒ぎ

新聞各社も、オプジーボへの批判論調は一切伏せて、〝夢の新薬〟キャンペーンをくり広げている。

マスコミが持ち上げた抗ガン剤オプジーボ。開発者とされる本庶佑・京都大学特別教授が、2018年度、ノーベル生理学・医学賞を受賞、さらにフィーバーに火がついた。メディアも庶民大衆も、ここぞとばかりに大騒ぎ。こぞって提灯行列でもやりかねないほどの浮かれようだ。

「新たなガン治療に貢献」とは『毎日新聞』（10月2日付）の一面大見出し。他紙も同じような記事で埋め尽くされた。

これでは、普通の人々がこの〝夢の新薬〟にやすやすと一縷の望みを託すのも当然だ。

山田寿彦氏（前出）は、このマスコミ姿勢を批判する。

「今年のノーベル医学・生理学賞に批判を呈したメディアは、わたしの知る限りじゃ皆無です」（『森下自然医学』２０１８年12月号）

彼が見聞したのは、遠慮がちな指摘のみ。それも北海道ローカルの民放番組だ。出演した医師は、こう発言した。

「オプジーボが〝効く〟のは、５、６人に１人。万能薬とはいえません」

これでも、いっせいに右にならえの風潮のなか、〝勇気ある〟発言かもしれない。

オプジーボが登場したとき、まず話題になったのが、そのバカ高さ……。

当初は、なんと年間３５００万円という薬価。それは、徐々に引き下げられた。

しかし、それでも年間１０００万円にもなる。

年収４００万円の患者のモデルケースでは、年間の薬剤負担は約１００万円となる。

なぜ、メーカーの指定薬価より安いのか。わが国は、高額医療費の一部あるいは全額を国が負担する制度がある。これは、患者のためを思ってのことではない。

高額医療費の大半は、血税で支払われる。

つまり、いくら薬価や治療費を、ふっかけても、取りはぐれがない。

つまり、この制度の真の目的は、製薬会社や病院の高額収入を保証することにある。

こうして、製薬メーカーは、平然と、目の玉の飛び出るような薬価を請求してくる。

オプジーボも、その典型だ。

「使った」「治った」「効いた」の〝三た主義〟

ノーベル賞に沸くメディアは、こぞって「オプジーボが効いた」「ガンを克服した」という患者を登場させている。

しかし、投薬しても、亡くなった人も大勢いる。

その存在はまったく無視だ。

さらに、この――「使った」「治った」「効いた」――という、クスリのロジックそのものがペテンなのだ。

わたしは、これをクスリの〝三た主義〟と呼んでいる。

Aというクスリを「使った」患者さんが「治った」とする。

医者はAが「効いた」と小躍りする。

しかし、Aの効果で治った……という証明は、どこにもない。

なぜなら、人間には自然治癒力があるからだ。

クスリは原則、〝毒〟である。

この患者は、Aの〝毒〟と闘いながら、自然治癒力で治った可能性がある。

つまり患者は、〝薬毒〟と〝病気〟の二つの敵に自然治癒力で勝った。

こう考えるのが自然だ。

しかし、クスリ信仰に〝毒〟されている医者は、このような真っ当な考えはいっさいない。

先の北海道ローカルテレビで、恐る恐る「効くのは5、6人に1人」と答えた医師。

〝効いた〟1人も、〝三た主義〟で、勘違いされている可能性が極めて高い。

そして、その生存者もいずれ、オプシーボの猛毒副作用で死ぬ運命にある。

クスリの有効性を客観評価するには、二重盲検試験しかない。

これは、患者をランダムに被験群と対照群に二分し、一方には試験薬、他方には偽薬（プラシーボ）を投与して、両者の経過を比較する。偽薬グループより、被験グループのほうが、生存率などが高ければ、初めて「効能あり」と認定される。

しかし、このように厳格な医薬品評価を行っている医療機関は、皆無に近い。

あの米国食品医薬品局（ＦＤＡ）ですら「新薬臨床試験の3分の2以上は、捏造だった！」と抜き打ち調査で認めている。

まさに、製薬会社そのものが戦慄（せんりつ）の犯罪組織だったのだ。

ノーベル賞は地球規模の〝洗脳〟装置

ちなみにノーベル賞を授与するノーベル財団は、火薬を発明したアルフレッド・ノーベルの遺志により発足した。これは、大抵の人が知っている。

しかし、ノーベルに生前より大量資金援助を行ってきたのがロスチャイルド、ロックフェラー二大財閥であった。この事実は、ほとんど伏せられている。

さらに、これらイルミナティ〝双頭の悪魔〟は、今も同財団を資金援助し、陰から支配している。

つまり、ノーベル賞授与は、〝かれら〟の思いのままなのだ。

そうして、あのキッシンジャーはノーベル平和賞を受賞している。

戦争マフィアの大番頭が平和賞！　まさに、悪い冗談ではすまない。

沖縄返還の密約で、非核三原則というペテンで日本国民を騙した佐藤栄作も平和賞を受賞。ブラック・ジョークというしかない。

さらに、アフガニスタンに派兵し、アメリカを泥沼戦場に引きずりこんだオバマ前大統領も平和賞……!?

さらに、悪質露骨なのが、本庶教授が今回〝猛毒〟オプジーボで受賞した生理学・医学賞だ。この賞自体が、もともと不正の連鎖に汚(けが)されている。

最近の例では、iPS細胞で受賞した山中伸弥・京都大学教授。これも、ロックフェラーが優先的に与えたものだろう。

わたしは著書『STAP(スタップ)細胞の正体』で、そのペテンを告発した。

iPS細胞は、4ヵ所も遺伝子組み換えを行い、さらに二つの細胞増殖抑制酵素、RBとP53を破壊している。だから、iPS細胞で、ガン化するのは当たり前。

ある研究者が、この点を京大チームに質問したが、答えられない。

さらに成功率が0・2%という。

1000回行って998回も失敗する。そんな医療は、ありえない。

さらに一回の治療費が2000万円以上。もはや、iPS細胞開発自体が、完全に狂っている。そんな狂気の医療にノーベル賞を与えた側も狂っている。

最近、iPSの網膜治療を行った患者が発ガンしたという。京大チームはパニック状態とか。当たり前の結果だ。

ついに、「政府によるiPS細胞の研究費が打ち切られた」というニュースが飛びこんできた。その存在自体がペテンなのだ。打ち切りは遅すぎたくらいだ。

安倍首相は、かつてiPS細胞について、「10年で1000億円！」という狂気の助成をブチ上げた。ロックフェラー財閥に尻を叩かれたのが見え見えだ。研究費打ち切りも、iPS細胞がペテンであった……という事実の露見に焦ったからだ。

役人たちも、みずからに火の粉がかかるのを恐れたのだろう。

その他、大隅良典教授も、細胞のオートファジー理論で、やはりノーベル生理学・医学賞を受賞。しかし、この理論は50年以上も前に、森下敬一国際自然医学会会長が発見し、実証している。ノーベル賞を授与されるべきは森下博士なのだ。

大隅教授は、過去にロックフェラー研究所に所属しており、それが大きな後押しとなったのは、間違いない。

ロックフェラーに潰された山極勝三郎の悲運

そうしたノーベル賞の欺瞞の典型が、医学者・山極勝三郎（１８６３～１９３０）の〝幻のノーベル賞〟だ。

彼は、世界初の人工ガン発生実験に成功した功績で知られる。ウサギの耳にコールタールをすり込むことで、１００％発ガンすることを、世界で初めて証明した。

「人工ガンのパイオニア」と称えられるゆえんだ。

ノーベル賞委員会は、１９２６年の生理医学賞を、山極勝三郎と決定した。

これに激怒したのがジョン・ロックフェラーだ。

石油王の彼は、石油化学工業を推進し、石油から大量の医薬品を製造することをもくろんでいた。

１００万トン単位で採掘する石油を原料に、ミリグラム単位の医薬品を製造する。

まさに、現代版の錬金術。濡れ手に粟の暴利を企(たくら)んでいた。その矢先に「タールに発ガン性！」の衝撃情報……。

さらに、発見した日本の学者にノーベル賞!?

石油王は、ノーベル委員会を恫喝(どうかつ)し、山極の受賞を撤回させた。

悲運の医学者・山極勝三郎

ノーベル賞をかすめ取った
ヨハネス・フィビゲル

そして自らでっちあげた研究者に受賞させたのだ。

その名は、ヨハネス・フィビゲル。彼は「ガンは寄生虫で発生する」という〝寄生虫説〟を唱えていた。

ロックフェラーは、山極からノーベル賞をもぎとり、子飼いのフィビゲルに受賞させたのだ。しかし、その後、「ガンではなかった」事実がバレている。

つまりは、〝寄生虫説〟は、捏造されていたのだ。

結局、山極は四度も生理医学賞にノミネートされながら、受賞は叶わなかった。

石油王の執拗な妨害があったことは、言うまでもない。

山極の故郷、長野県上田市の上田市立博物館には「山極勝三郎記念室」がある。

そこには、〝幻のノーベル賞〟に終わったことについて、ノーベル委員会からの「謝罪の手紙」の件が掲示されている。

そこにはさすがに「ロックフェラーの圧力」については触れられていない。

「日本人の受賞は、時期尚早だった……」

意味不明の言い訳が綴られていた。卑怯である。

山極博士の悲劇は、ノーベル賞が、ロックフェラー財閥等により、人類の〝洗脳〟装置として使われてきた、その決定的証拠である。

白い牛乳、35もの黒いワナ――発ガンから犯罪まで、知られざる罪状

――栄養学から育児まで、捏造神話で人類を支配してきた魔の歴史

「完全栄養」に〝洗脳〟された日本人

『牛乳のワナ』という本を書き上げた。

この書名だけでは、何のことか、訳のわからない方も多いだろう。

それも、無理もない。牛乳と聞けば、だれでも「完全な栄養飲料」「カルシウムの宝庫」「骨折を防ぐ」「子どもが大きく育つ」……などの言葉が思い浮かぶはずだ。

牛乳は、現代人にとって、もっとも理想の栄養源としてとらえられてきた。

わたしの子どもの頃は、牛乳配達も多かった。当時、けっして牛乳は安価ではなかった。それでも各戸で需要があった。いかに、牛乳は大衆が憧（あこが）れる〝完全栄養飲料〟であったかがわかる。

学校給食でも細長いコッペパンと牛乳がアルミの器で登場した。さらに、思い出すのはパンに添えられていたマーガリンだ。鷹印のブランド名まで覚えている。

パンは子ども心にも美味しくはなかった。さらに不味かったのがミルクだ。別名、脱脂粉乳。脱脂とは何か？　後で知ったが、つまりは、牛乳からバターを製造した後の、残り滓をわれわれ子どもたちは給食で無理やり飲まされていた、というわけである。

この「給食に牛乳を出す」……という発想は、いまだに続いている。

保育園でも小中学校でも、さらには病院でも、牛乳は給食に絶対に不可欠である。

驚いたことに老人施設でも毎日、牛乳は出される。

なぜ……？　と聞けば、介護職の方は、胸を張って答えるだろう。

「お年寄りの骨折を防ぐためですよ」

さらに、忘れてはいけないのは粉ミルクだ。

戦後、日本政府は母子手帳などで、乳児に粉ミルク――つまり、牛の乳を飲ませることを国家権力によって〝強制〟してきた。

こうして、赤ん坊からお年寄りまで、戦後日本人は〝牛乳漬け〟にされてきたのだ。

いったい、誰によって……？

牛乳を飲むほど骨はポキポキ折れる

この牛乳をめぐるミステリーに挑んだのが、わたしの著書『牛乳のワナ』だ。

この本は、とりわけ日本のお母さんたちに読んでいただきたい。

いまだに「牛乳は体にいい」と信じ込んでいる母親がほとんどだ。

しかし、本書を読めば、あなたは根底から〝闇の力〟に騙されてきたことに、呆然とするだろう。

さらに、本書は高齢者の方にも、手にとっていただきたい。

いまだ老人ホームなどでは給食に牛乳を出す。

なぜ？　言うまでもなく「骨折を防ぐため」である。

そんな、老人施設の管理栄養士や介護職の方にも、ぜひ読んでいただきたい。あなた方は、自分が大学や専門学校で習った栄養学がペテンであったことに気づくであろう。

呆然と声を無くす表情さえ、目に浮かぶようだ。

本書の「骨折」の項目を読んでいただきたい。

牛乳を飲めば飲むほどに骨折は急増している。

なぜ……？

全員が息を呑み、唖然とし、首をひねるだろう。

世界でもっとも牛乳を飲んでいたノルウェー人の骨粗しょう症は、日本人の5倍も多かった。

牛乳を多く飲む国ほど、骨折が驚くほど多い。

いったい、なぜ！　そもそも牛乳はカルシウムの宝庫ではなかったのか？

「牛乳を飲むほど骨折が増える」……これが、〝ミルク・パラドックス〟である。

だいたい、カルシウムを多く摂れば、骨は丈夫になる――などといった考えは、まさに人間の浅知恵でしかなかった。

ビル建設で考えればわかりやすい。

カルシウムをセメントとしよう。

セメントを大量に建築現場に持ち込んでも、それで立派なビルが建つわけではない。

鉄筋とか型枠とか、さまざまな建築資材が過不足なく整って、ようやくビルは完成する。

ただセメント袋だけを現場に山と積んでも、邪魔なだけだ。

骨からカルシウムが溶出、骨粗しょう症に

多量の牛乳、過剰なカルシウムは、人体にとって邪魔なだけではない。

それらが大量に人体に入ると、消化吸収の過程で、酸性物質（酸毒）を発生させる。

すると、体液は酸性に傾く。言うまでもなく、健康な人体の体液のｐＨ（ペーハー）は弱アルカリ性である。

これが、酸性に傾くほど、健康は損なわれる。

最悪はアシドーシス（酸血症）だ。

悪化すると死亡することすらある。

だから、身体は、体液が酸性に傾くことを、必死で食い止める。牛乳多飲で体液が酸性に傾く。それを阻止するため、身体はその酸を中和するために、骨からカルシウムを溶出させるのだ。こうして、最悪の事態である体液酸性化を防ぐ。

骨からのカルシウム溶出を、医学用語で「脱灰現象」という。

カルシウムが溶け出た骨はスカスカになる。

骨密度が低下し、モロくなる。

つまり、ポキポキ折れやすくなる。これが骨粗しょう症だ。

なんという皮肉か！　骨を強くするために牛乳を飲む。すると骨はモロくなるのだ。

つまり、牛乳は骨を強くするどころか、骨をモロくさせ、骨折を多発させる。

このメカニズムは、一部の生理学者の間では、古くから知られていた。

彼らは「牛乳多飲は骨折の原因！」と警告してきた。しかし、彼らの声は圧殺された。学界どころか公になることもなかった。

牛乳と肉食〝神話〟で人類支配

いったい、誰の手によって……？

それは、牛乳、乳製品、つまり酪農製品で利益をあげるヤツらだ。

わたしは〝かれら〟を「ミルク・マフィア」と呼んでいる。

しかし、その背後には、さらに山岳のような巨大権力がそびえていた。

それが、国際秘密結社フリーメイソンであり、その中枢組織イルミナティなのである。

利権はピラミッドのように重層化している。

ミルク・マフィアの上には、穀物マフィアが存在する。牛乳を育む牛を育てるには、エサとなる穀物が不可欠で、穀物を育てるには大量の石油が不可欠。石油を支配するのは〝石油王〟ロックフェラーだ。そして、ロックフェラー財閥はイルミナティを支配してきた〝双頭の悪魔〟の一族だ。

もう一方の悪魔がロスチャイルド財閥であることは言うまでもない。

つまり、世界をミルク神話で〝洗脳〟してきたヤツらの正体は、またもやイルミナティ——という結論に至る。

これは、肉食による人類支配と対をなす。

牛乳神話と肉食神話は、まさに人類という「家畜」のすばらしい〝洗脳〟システムであり、〝餌付け〟装置である。

肉好きは心臓マヒ8倍、大腸ガンで5倍死ぬ

わたしは、肉食の弊害をこれまで幾度となく徹底的に暴露し、告発し、伝えてきた。

告発の書『肉好きは8倍心臓マヒで死ぬ』は、その筆頭である。

そこには封印されてきた82項目ものエビデンス（科学的根拠）を掲載している。

たとえば、徹底した疫学調査が以下を暴く。

肉食中心のアメリカ型食事をしている人は、完全菜食（ヴィーガン）の8倍、心臓マヒで死亡している（米フィリップス論文）。

調査対象は2万5000人にのぼり、もはや、反論の余地はいっさいない。

ちなみに、アメリカ男性の心臓発作の死亡率は、中国男性の14倍……！

この数値には、驚倒するしかない（『チャイナ・スタディ』）。

さらに、アメリカに移民した日系三世の大腸ガン死亡率は、母国日本の5倍と驚愕す

る値になっている。

なぜか？

菜食中心の和食から肉食中心の洋食に変わったからだ。さらに、ほぼ毎日、肉を食べる人の糖尿病死亡率は、菜食者の3・8倍である。

糖尿病の死亡原因は糖質ではなく肉食なのだ。

ちなみにWHO（世界保健機関）は、ハム・ソーセージなど肉加工品の発ガン性を5段階評価で最凶と断定、公表した。加工肉にはアスベスト並みの発ガン性があるのだ。

そして、赤肉は上から二番目の発ガン物質だった。

お世話になったあの方に、毎年、ハムを贈るのは、「死ね！」と言っているのにひとしい。

また、街の精肉店は〝発ガン・ミートショップ〟と店名を改めるべきである。

スーパーの「精肉コーナー」は、〝発ガンコーナー〟と呼び名を改めるべきである。

牛乳と肉食の両神話で人類を、家畜のように〝餌付け〟してきた奴らの頂点に立つのが、イルミナティなのである。

牛乳と肉食はまず乳製品と肉製品の売り上げで、膨大な利益を〝かれら〟にもたらす。

それだけではない。乳、肉を多飲、多食させれば、約77億の人類は、必ず不健康になり、さまざまな疾病、疾患にみまわれる。

すると、次は、〝かれら〟が世界規模で支配している医療利権が膨大に潤う。

なんのことはない。乳と肉による人類という「家畜」の〝餌付け〟は、〝かれら〟に「売上」「医療」の二重取りで莫大な利益をもたらす。

早く言えば、体（てい）のいいマッチポンプである。

牛乳による悪魔的な有害性は35項目！

肉食の害は、さすがのＷＨＯも隠蔽（いんぺい）不能となり、ついにその強烈な発ガン性の公表に踏み切った。

その毒性は、ベジタリアンの間では半世紀以上も前から常識であった。それをついに国連機関も認めたのである。

しかし、いっぽうの牛乳、乳製品の害については、国連も口をつぐんだままである。〝闇の勢力〟は、肉食と同様、騙せるあいだは、騙し続ける。そういうハラづもりなのだ。

わたしは、それを許さない。

だから、『牛乳のワナ』を、まとめたのだ。

古今東西、牛乳に関する有害論文などを徹底的に渉猟（しょうりょう）、調査した。
それら、科学的エビデンスを列挙して、驚いた。
牛乳、チーズ、乳製品にまつわる有害性は、なんと35項目に達したのだ。

――それらを、以下、列挙する。

❶**乳児死亡**：「乳児突然死症候群（ＳＩＤＳ）」は母乳児の４・８倍。
❷**牛乳アレルギー**：のちのアトピー性皮膚炎大爆発のルーツ。
❸**乳糖不耐症**：成長すれば牛でも牛乳を飲まないから発症して当然。
❹**貧血**：牛乳を多く飲むほど鉄不足で鉄欠乏性貧血におちいる。
❺**発ガン性**：牛乳たんぱく（カゼイン）は最凶のガン促進物質だ。
❻**乳ガン**：牛乳、チーズ好きは４～5倍も激増する。
❼**前立腺ガン**：やはり、牛乳、チーズ好き男性に多発している。
❽**精巣ガン・卵巣ガン**：牛乳好き、さらにチーズ好きに14倍！
❾**白血病**：牛乳を多く飲む人ほど、白血病を発症している。
❿**アテローム血栓症**：いわゆるポックリ病。人類４人に１人が死ぬ。
⓫**心筋梗塞**：血栓が心臓冠状動脈に詰まって心臓マヒを起こす。

⓬脳卒中：脳血管が詰まれば脳梗塞、破れれば脳出血で倒れる。
⓭糖尿病：粉ミルク育児で小児糖尿病が13倍に激増している。
⓮骨粗しょう症：牛乳、チーズ好きほど骨はスカスカ、モロくなる。
⓯骨折：やはり牛乳、チーズ、肉……動物たんぱく多食が犯人だ。
⓰結石：痛ッタタ……！　石持ちは、過食・美食三昧を反省せよ！
⓱虫歯：子どもに哺乳ビンを与えて、寝かせて、歯が溶ける……。
⓲多発性硬化症：原因不明の難病、牛乳を多く飲むほど多発する。
⓳筋萎縮性側索硬化症（ＡＬＳ）：牛乳を飲む人ほど発症している。
⓴関節リウマチ：何人もの患者が牛乳やめたらピタリ治った！
㉑クローン病：牛乳、乳製品で小腸、大腸の炎症が爆発的に増加。
㉒大腸炎：腸に穴があく！　〝リーキー・ガット症候群〟が激増中。
㉓白内障：牛乳・ヨーグルトを与えると、すべてのラットに白内障。
㉔不妊症：牛乳という〝ホルモン混合液〟で生殖器官がやられる。
㉕早死に：牛乳を多く飲むと死亡率２倍に（スウェーデン報告）。
㉖腸出血：出血に気づかないうちに乳幼児は貧血症になる。
㉗虫垂炎：牛乳による乳糖不耐症が引き金になることもある。

㉘にきび：原因は牛乳、肉食、乳製品。やめれば、ピタリと治る。
㉙発達障害：牛乳多飲による高カルシウム血症が原因で起こる。
㉚自閉症：脳機能障害より牛乳などによる栄養障害をうたがえ！
㉛犯罪：牛乳をやめさせたら犯罪再発が3分の1に激減した。
㉜うつ病：牛乳によるカルシウム過剰と酸性化で心が不安定に。
㉝認知症：高齢化で激増の影に、老人への牛乳強制がひそむ。
㉞肥満症：牛乳・乳製品の過剰栄養が加速する一種の〝心の病〟。
㉟疲労症候群：文明の病――ここにも牛乳、チーズの害がある。

狂った栄養学、医学で地球は狂人の楽園に！

ここまで読んできて、あなたは、ただ驚愕しかないだろう。
牛乳に、まさか、これほどの有害性、毒性があったとは……。
しかし、『牛乳のワナ』には、すべての項目にエビデンス（科学的根拠）を示した。
ぜひ一家に一冊そなえてほしい。とりわけ栄養士や医師の方々に、切にお願いする。
あなた方が専門学校や大学で学んだことは、まさに虚構であったのだ。
早く言えば、ペテンの栄養学で〝闇の勢力〟に〝洗脳〟されたのだ。

そのルーツを探せば、フォイトの栄養学にいきつく。

カール・フォン・フォイトはドイツのミュンヘン大学に45年間も君臨した欧州栄養学界のボスである。近代医学と栄養学は、ドイツが支配した。

だから、フォイトこそは、近代から現代に至る栄養学のボスなのである。彼の別名は〝近代栄養学の父〟……。

その栄養学なるものをひも解いて仰天した。

「……もっとも優れた栄養源とは動物たんぱく質である。中でも、もっとも優れたものは肉である。植物たんぱく質は劣等である。炭水化物は栄養が乏しい。摂るのは控えるべきである」……云々。

まさに、狂人の妄言である。

この狂った栄養学が、いまだ現代栄養学の中枢に鎮座している。

大学で栄養学の学位を取るということは、この狂人学者の弟子となることを意味する。

ついでに、もう一人の狂人学者の名をあげておこう。

ルドルフ・ウィルヒョウ。彼は、〝近代医学の父〟という尊称を奉(たてまつ)られている。

このウィルヒョウは、「人体は物体にすぎない。モノに自然に治る力など存在しない」と、生体に備わる自然治癒力を真っ向から否定した狂人である。

現代栄養学と医学は、この二人の〝狂った学者〟の理論に基づいている。

栄養学が狂い、医学が狂っているのも、当然なのである。

そして、これら妄説を必死で勉強して栄養士、医師の学位、免許を取った連中も、師匠同様に〝狂って〟いる。

狂人に乗っ取られた栄養学、医学を盲信し、その狂人の弟子たちの下にすがる人類大衆も、これまた狂っている……。

こうして、地球はまるごと狂者の楽園（地獄？）に成り果てた……。

狂人や病人が地球上にあふれているのも、当然である。

『スポック博士の育児書』の深き罪と罰

〝闇の支配者〟による人類家畜化に利用された悲劇の学者がいる。

それが、ベンジャミン・スポック博士である。

彼は、世界的なベストセラー『スポック博士の育児書』で、あまりにも有名だ。

それは、戦後最大のベストセラーと言われる。

42ヵ国語に翻訳、累計5000万部突破……。

「聖書の次に売れた本」という例えもあながちオーバーではない。

日本でも、暮しの手帖社が翻訳出版している。

この育児書で、スポック博士は、粉ミルクを強く推奨している。

さらに、母乳育児の母親に早く断乳するよう勧めている。

ミルク・マフィアにとっては、願ったり叶ったりの育児法だ。

〝かれら〟の背後にいるのが国際秘密結社フリーメイソンであり、その中枢組織イルミナティである。

〝かれら〟は、この育児書が世界的なベストセラーになるように巧妙に暗躍した。

わたしは、確信する。国際秘密結社の陰からの支援がなければ、ただの育児書が50

闇の支配者に利用されたスポック博士

罪深き『スポック博士の育児書』

00万部という驚異的なベストセラーになるはずがない。

このスポック博士の育児書を読んで驚愕した人物がいる。久司道夫（くしみちお）氏である。

彼は、マクロビオティック（玄米正食）運動を、アメリカに広めた功労者だ。

ベジタリズム（菜食主義）の立場からすれば、スポック博士の母乳否定、人工栄養礼賛は、仰天の暴論であった。久司氏は、博士に直言した。

「アンタ、このままじゃ地獄に墜（お）ちるよ」

重病で久司氏にかかり、菜食指導で健康を取り戻したスポック博士は愕然（がくぜん）とし、みずからの過（あやま）ちに気づいた。そして、晩年は、『育児書』の改訂に没頭した。

こうして、第7版は、初版とは180度異なる内容となっている。

「子どもは母乳で育てなさい」

「離乳期を過ぎたら菜食で育てなさい」

スポック博士は、「生きている限り改訂を続ける」という言葉を遺して95歳でこの世を去った。その後も、妻メアリーは改訂を重ね、第8版を出版している。

そこには、博士の遺言として、こうある。

「……最悪の食事は、乳と乳製品である」

〝菜食者〟リンダ・マッカートニーの悲劇

これら、スポック博士の懺悔（ざんげ）と改心は、日本ではいっさい報道されていない。

邦訳『スポック博士の育児書』（暮しの手帖社、第６版）は、これら博士の後悔と真意をまったく反映してはいない。同社も博士同様に、日本の読者に、心より謝罪すべきである。世界の人々は、牛乳・乳製品の恐ろしい害に、気づきはじめている。

その反映が、ヴィーガン（完全菜食者）の急増である。

まさに、10年に10倍の勢いといっても過言ではない。

これまで、ベジタリアンのあいだでは「乳製品は健康によい」……という、〝神話〟があった。

とくに、チーズは発酵食品なので、健康食品である……という思い込みがベジタリアンの間でも根強かった。

彼らは、みずからを〝ラクト・ベジタリアン〟と自称していた。

乳製品を愛好するベジタリアンという意味である。

その代表がリンダ・マッカートニーだ。元ビートルズのメンバー、ポール・マッカートニーの妻としてあまりに有名だ。彼女は著述家でもあり、ベジタリアン料理のレシピ本を何冊も執筆。世界的なファンも多かった。

そのレシピ本には、牛乳やチーズ、ヨーグルトを使った料理が数多く掲載されていた。

そして……リンダは56歳の若さで、この世を去った。

死因は乳ガンだった……。

好んで食べた乳製品、チーズなどが、無残にも彼女の命を奪ったのである。

その死を嘆いたポールは、今は、乳製品もいっさい口にしないヴィーガン（完全ベジタリアン）として知られる。

小林麻央さん、ピザ大好きで乳ガン死？

「……小林麻央の死因がわかったよ」

鶴見隆史医師（鶴見クリニック院長）から突然、電話があった。

小林麻央さんといえば、歌舞伎役者、市川海老蔵の若妻として知られていた。

乳ガンで2人の子を遺して34歳で夭折（ようせつ）している。

日本中がその悲劇に涙した。

「死因はチーズだよ。麻央は、発酵食品だから体にいいと思ったんだろうな。聞くところでは、ピザが大好きで毎日のように食べてたというんだなぁ……」

鶴見医師も、ため息まじり。

「発ガン物質のカゼインが濃縮されてるから、さらに猛毒だ。だから、チーズフォンデュなどもいかんですよ」

国際的な比較データをみると、チーズ・乳製品を多く食べるスイスの乳ガン患者は、ほとんど食べないタイなどと比較すると、約20倍も乳ガンを発症している。

「チーズは牛乳より毒性が強い」という鶴見医師の警告は、まさにそのとおりだった。

さらに、高齢者で「1日にチーズを一切れ以上食べる」人の太腿骨骨折は4倍という衝撃データもある。

乳製品に命を奪われた
リンダ・マッカートニー

ピザ大好きの小林麻央さんも若くして亡くなった

鶴見医師は、「これからMEC食品の害が大問題になりますよ」と指摘する。

それは、M(ミート、ミルク)、E(エッグ)、C(チーズ)の四食品だ。

肉食にくらべて、こちらは栄養価があると、推奨されてきた。

しかし、その内実は著書『牛乳のワナ』で、赤裸にした。

「一日1個のタマゴの害は、一日5本のタバコに相当する」という研究結果もある。

ここで出てくるE(エッグ)も、多く食べれば、牛乳に次ぐ発ガン食品なのだ。

ここまで読んで「これじゃあ、食べる物がない!」と嘆くあなた、そうではない。

われわれ日本人には、伝統和食があるではないか!

1977年にアメリカ上院が発表した「食事と健康」に関する5000ページに及ぶ報告書(米「マクガバン報告」)では、こう結んでいる。

「……人類は、もっとも理想の食事にすでに到達している」

「それは、日本の伝統食である」

第Ⅲ部

魔王ロックフェラー死す、世界は激動期に突入

「魔王、死す！」2017ショック――相次ぐ衝撃報告

――暴かれ始めた地球皇帝D・ロックフェラーの世界支配ファイル

ロックフェラーによる〝7つ〟の世界支配

著書『魔王、死す！』を発刊した。
副題は――D・ロックフェラーの死で激変する世界勢力図――。
魔王とは、いわずもがな。２０１７年3月に１０１歳で死去したディビッド・ロックフェラーのことである。
彼の別称は〝地球皇帝〟――それは、20世紀の地球を陰から支配した男、という意味だ。具体的には、彼は地球を7つの分野で支配してきた。

❶国家：彼は「国家を動かすフリーメイソンの頂点に、我々がいる」と豪語してきた。〝頂点〟とは、秘密結社の中の〝秘密結社〟つまりイルミナティのことである。

❷石油エネルギー：魔王の別名は〝石油王〟である。

彼は20世紀のエネルギー、石油を独占支配することで、その称号を手にしたのである。ちなみに、イルミナティの双璧、ロスチャイルド一族は、ウラン利権を分担支配してきた。

彼らは「石油と原子力エネルギー以外は認めない」という鉄則を貫いてきた。

❸メディア・教育：イルミナティの〝双頭の悪魔〟は、ロイター、AP、AFP、世界三大通信社の大株主として君臨し、新聞・テレビなどの主要メディアを独占支配してきた。そして、その情報支配により、教育も完全に支配してきたのだ。

かくして、マスコミと教育（狂育）は、人類に対する完璧な〝洗脳〟装置と化した。

❹医療：「ミリグラム単位の〝石油〟を、〝薬〟として高額で販売する」ことで、石油王は、医療王としても、世界に君臨した。

❺戦争：魔王にとって、戦争は、最大・最高のビジネス・チャンスであった。「武器の在庫を一掃する」には、戦争が一番なのである。

ロッキードやグラマンなど巨大兵器産業は、すべて、二大財閥が掌握していることを、忘れてはならない。

❻金融：イルミナティは、世界各国の通貨発行権をもつ中央銀行を簒奪することで、世界中の国家を支配下に置いてきた。

❼食品：遺伝子組替え技術などで世界の農業・食料を闇から支配してきたモンサント社こそ、魔王の〝所有会社〟であった。〝かれら〟は、人類の生命線まで掌中に収めてきたのだ。

――これら、地球文明のトップに君臨してきたのが、ディビッド・ロックフェラーなのだ。

その魔王が、ついに黄泉の国に旅立った。

エネルギー、金融、食品、メディア、医療、戦争、国家……これら、すべてを意のままにしてきた世界皇帝が去った。その封印が解除された。

その地球社会に対する影響は、計り知れない。

つまり……これから「近代史の闇が暴かれ、世界支配システムが大崩壊する」のだ。

そして、それまで闇に圧殺されてきた〝禁断の産業革命〟が始まる……。

「火の文明」から「緑の文明」へとパラダイム・シフト

それでは魔王死後の世界に、どのような〝激変〟が襲うのか？

具体的に見てみよう。

まず、マクロ的視点からいえば、「火の文明」から「緑の文明」へのパラダイム・シフトが加速される。

177ページの図は、わたしが持論とする文明観だ。

■「火の文明」とは、石炭、石油、ウランなど化石燃料で、繁栄する文明である。
根底にあるのは「競争」原理であり、「知識」が支配する文明である。

この文明は、地球規模の三つの弊害を生み出してきた。《戦争》、《格差》、《汚染》である。

魔王らイルミナティによる地球支配が、その根源であることは、言うまでもない。

これらの悪夢を克服するために台頭してきたのが「緑の文明」なのだ。

■「緑の文明」とは風力、波力、地熱など自然エネルギーで繁栄する文明である。

根底にあるのは「共生」原理であり、「直感」が支配する文明である。自然エネルギーは、地球全体にあまねく存在する。よって、その資源争奪による《戦争》は解消される。また、地球各地の風土に根差した文化が花開くことで《格差》も解消される。当然、化石燃料から自然エネルギーへのシフトで、《汚染》も解消されることは、言うまでもない。

これら、文明の大転換は、100年単位のタイム・スケールで起こる。

そして、魔王D・ロックフェラーの死こそ、まさに、衰退する「火の文明」と勃興する「緑の文明」の交点に位置するのだ。

「共生」思想で栄える「緑の文明」を推進するのが、〝緑の技術（GT：グリーン・テクノロジー）〟である。

それは、地球、環境、生命に〝やさしい技術〟である。わたしは、それらを集大成した一冊を世に問うてきた（『THE GREEN TECHNOLOGY』）。

魔王の死という〝2017ショック〟で、ついに〝緑の技術（GT）〟が、加速される。

じつに感慨無量である。

「火の文明」から「緑の文明」へ――人類が生き残るために

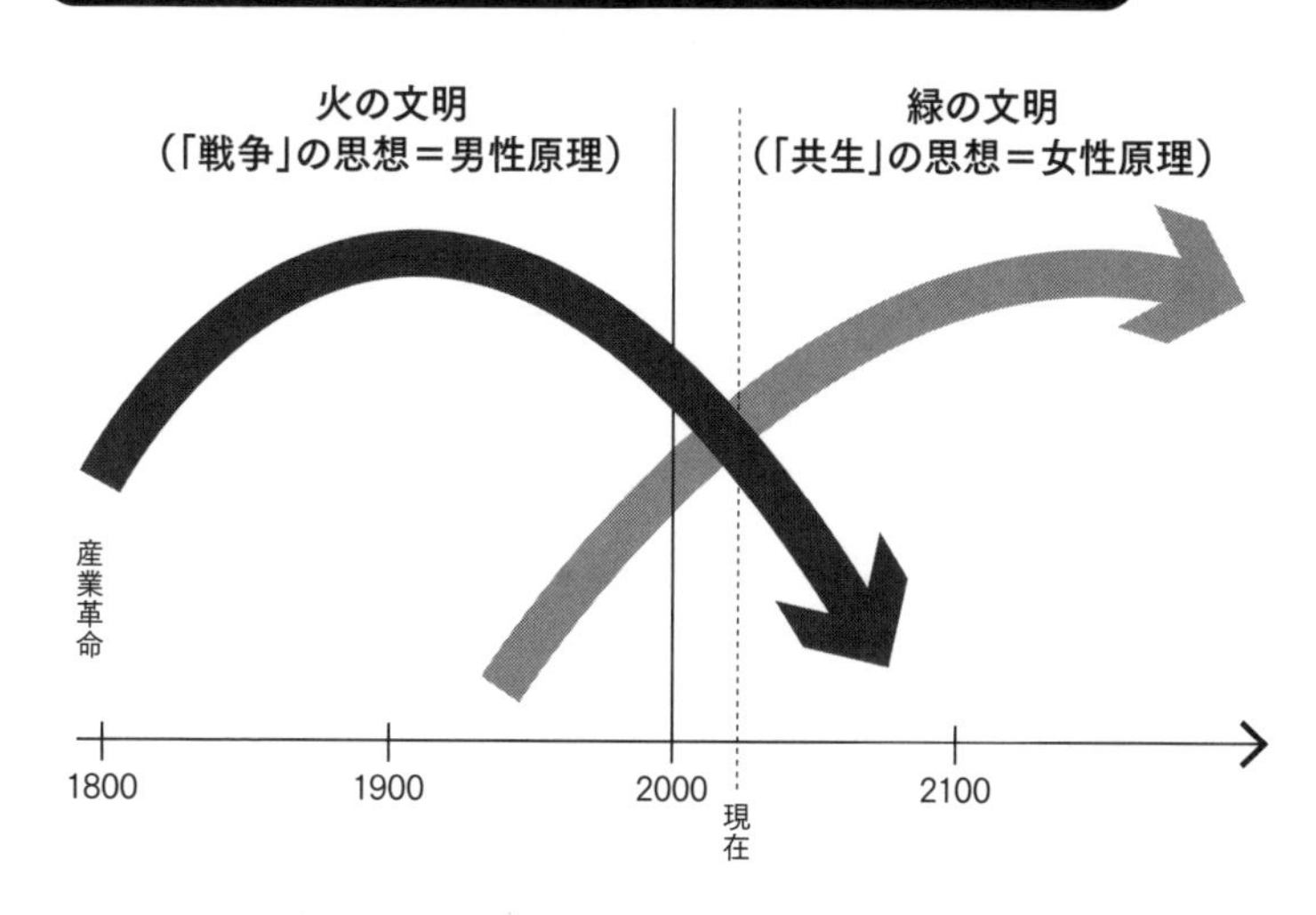

石炭・石油・ウランなど
「化石エネルギー」で繁栄
その結果――3つの弊害が生じた。
資源争奪で繰り返される「戦争」、
地球規模に広がる深刻な「汚染」、
1％が99％を収奪する「格差」。
精神より物質が優位であり、
手段を選ばぬ詐欺、犯罪が蔓延した。
「知識」に基づく物質世界が退化し、
「経済」優先が人類を疲弊させた。
生命と環境にやさしい。

石炭・石油・ウランなど
「自然エネルギー」で繁栄
緑の技術（GT）を基礎に栄える。
「直感」に基づく精神世界が退化し、
「芸術」が文明の基盤をつちかう。
地球のあらゆる地域に存在する
再生可能エネルギーと資源を活用。
資源争奪のための闘争から解放。

〝地球〟に飼われた家畜の人類

ここまで読んでも魔王の死の意味が、よくわからない人もいるだろう。

それも、無理はない。〝闇の支配者〟たちは、その名を口にすることを、許さなかった。そうして、〝かれら〟は、世界のメディア、教育を、完璧に支配してきたのだ。


「……現代アメリカのフリーメイソンの象徴といえば、〝影の世界政府〟の主導者とされる『ロックフェラー財閥』に尽きるだろう。ロックフェラー家は1870年代にアメリカで初めて石油産業の独占に成功した。いわば〝石油成金〟だ。1890年代には、複数の銀行を買収するなどして、巨大財閥へと拡大していった」

「ロックフェラー財閥は、世界中が一年間に生み出す約2000兆円の富のうち、10分の1の200兆円を自由にすることが可能だという」(『眠れないほどに面白い「秘密結社」の謎』並木伸一郎著、三笠書房)

〝かれら〟は、そのとてつもない財力で、世界のメディアを完全支配してきた。

だから、あなたは、目の前の新聞を開いて、隅々まで目を凝らして読んでも、ロックフェラーの〝ロ〟の字も見ることはない。

〝闇の支配者〟は、みずからの名を口にすることを、人類に許さない。

人類は、〝かれら〟にとって、支配・管理する〝家畜(ゴイム)〟にすぎないからだ。

地球は、まさに〝人間牧場〟に他ならない。

飼い主にとって、理想的な家畜は、無知で従順で、かつ愚鈍でなければならない。

フリーメイソンの恐ろしさは、まさに、その悪魔的な秘密性にある。

「腹を切り裂かれ、内臓を引きずり出されても、守り抜く」ことを誓わされるメイソンの黙約と秘密……。上位のイルミナティの構成員なら、さらに、血盟の拘束は強固であり、それを犯した者への報復も凄まじい。

ところが……。魔王の死は、この人類支配の構図に、ヒビ割れをもたらし始めた。

幼児生け贄(いけにえ)イルミナティを内部告発

「……自分は、イルミナティのメンバーだった」

と告白し、その戦慄の実態を告発する者が相次いでいるのだ。

オランダの金融会社「de blije b」の創設者ロナルド・ベルナルド氏もその一人だ。

彼はオランダのメディア取材にこう答えている。

「悪魔的ミサで、何人もの幼児が生け贄(いけにえ)として捧げられていた。幹部に子どもを殺すように命じられたが、恐怖で拒絶した」

幼児を殺害し、その血を啜る〝飲血の儀式〟は、一部ユダヤ教徒による秘事として知られている。

その後、精神錯乱に陥った彼は、組織を脱退しようとしたが、イルミナティから過酷な拷問を受けたという。

彼はその後、メディアに実名、素顔までさらして、極秘結社イルミナティのおぞましい悪魔性を暴露している。

彼には、その後、過酷な報復が下されたようだ。

なぜなら、衝撃告白インタビューの直後、アメリカ・フロリダ州で〝謎の死〟を遂げた、と報じられているからだ。

死を賭して、世界最凶の秘密結社の内実を暴いた彼の勇気には、感服するしかない。

ベルナルド氏に果敢な内部告発の勇気を与えたのも、魔王ロックフェラーの死が、一つのきっかけになったのでないか。

なぜなら、さらに堰を切ったように、その後も、イルミナティ告発が相次いでいるからだ。

元イルミナティ・メンバーだったと名乗る66歳男性は、オンライン・ジャーナル『Disclose.TV』で、こう告白している。

「……19歳のときにイルミナティに勧誘され、47年間メンバーとして活動してきたが、堪えきれずに脱退した」という。

彼は「イルミナティの歴史の中で、7人しか体験していない〝出発の儀式〟の体験者」という。

それが事実なら、まさにイルミナティ最高位の中枢人物だったことになる。

全世界に張り巡らされた地下施設

彼の内部告発の一部は、次のとおり。

「……イルミナティの活動拠点となっているのは、世界中に439ヵ所ある地下施設で、一番大きな施設は、ブラジル・サンパウロに存在する。それは、5000人が10年間、生活できる設備を備えている」

それは、核戦争や自然災害に備えた巨大シェルターなのだ。さらに、米コロラド州デンバーの巨大地下施設では、最大規模の計画が実行に移されている、という。

その告発は、衝撃的かつ具体的だ。

「……これら地下施設は、要人たちの〝避難所〟としての機能も果たしている。1917年、ロシア革命の指導者の一人、トロツキーはスイスの地下施設に身を隠していた時期がある」

さらに、耳を疑うような話が続く。

「第16代米大統領リンカーンは、暗殺されたことになっているが、実は、余生をメキシコの地下施設で送った」

「サダム・フセインも逮捕、処刑されたのは実は影武者で、本人は、今もアルゼンチンの地下施設で生きている」

ここまでくると、話の真贋には、誰しも首を傾げるしかないだろう。

しかし、ベルナルド氏の〝不審死〟でわかるように、口封じと暗殺は、秘密結社の御家芸だ。

この66歳の男性にも、同じ悲運が襲いかねない。

命を賭して荒唐無稽な作り話を披瀝(ひれき)するだろうか？

この男性の内部告発が、信憑性(しんぴょうせい)をおびていくのは、HAARP(ハープ)(高周波活性オーロラ調査プログラム High Frequency Active Auroral Research Program)に関するくだりだ。

「……気象兵器と呼ばれるHAARPは、実際に存在し、使用されている。この〝兵器〟はイルミナティの占有物ではなく、各組織により共同管理されている。普段は、太平洋にある水中施設に保管されている」

その開発の経緯も暴露されている。

「……1980年代に開発され、運用が始まったのは90年代終盤から。2005年に米国を襲ったハリケーン〝カトリーナ〟や2010年のハイチ巨大地震も、HAARPによって引き起こされた」

これは、国際的な批評家デーヴィッド・アイク氏の告発と一致する。

超極秘の「300人委員会」名簿暴露！

さらに、告発は、イルミナティの〝資金源〟にまで及ぶ。

米国アラスカ州に設置されたHAARPのアンテナ施設

HAARPは巨大なハリケーンや地震を引き起こす

「……地下施設には、コカインやヘロイン、マリファナなど、あらゆる薬物（ドラッグ）の集積所もあり、流通ルートの拠点となっている。表向きは、これらドラッグ利権を任されているのが米国の投資家ウォーレン・バフェットで、経済学者ベン・バーナンキが補佐している」

ＣＩＡの資金源が、麻薬と武器の密輸であることは知る人ぞ知る話。トム・クルーズ主演で、実話がハリウッドで映画化されているほどだ。

タイトルもズバリ、密輸飛行機を操縦した実在人物『バリー・シール』の実名が、そのまま使われている。

ちなみに、〝運び屋〟は、最後はＣＩＡにアッサリ射殺されてジ・エンドとなる……。

内部告発によればイルミナティが支配する秘密の地下施設は、まさにＳＦ映画を観るような光景だ。

「……地下施設の多くは、強力な焼却装置を完備している。その目的は〝死体処理〟である。イルミナティでは、原則、死体はすべて焼却して灰にすることが、定められている。戦争や災害で、多くの死者が出た場合、すべてこの焼却施設に運ばれて灰にされる。これら、焼却作業を含む地下施設での力仕事は、ロボットが行っている」

死体を、すべて焼却する……というのは、徹底した証拠湮滅（いんめつ）システムといえる。

あの9・11で、ビル残骸と死体が、超高温でほとんど消滅したのも、同じ発想によるものだろう。

この内部告発者は、イルミナティの中でも、かなり高位にいた人物のようだ。

その告発の信憑性を裏付けるのが、「300人委員会」名簿の完全暴露だ。

この委員会こそ、イルミナティの中枢組織である。

超極秘とされた名簿を暴くとは、大変な勇気というしかない。

ちなみに、アメリカのトラヨン・ホワイト議員（民主党）も、「ロスチャイルドが世界銀行から米連邦政府、気象まで操作している」と、フェイスブックに動画を投稿して告発、大きな話題となっている。

それは、車を運転中にスマホのカメラに向けて行われた。

「……雪といえば〝気象コントロール〟によく注意してください。天気を操作して、自然災害を作り出し、その結果、街を手中に納めることは、ロスチャイルド家の常套（じょうとう）手段ですから……ご注意を！」（トラヨン・ホワイト）

たちまち、彼のブログは〝炎上〟し、その後、公式に謝罪に追い込まれたという。

しかし、運転中の気楽なおしゃべりは、まさにホンネであり、真実だった。

こうして、〝闇の秘密結社〟の絶対タブーは、瓦解（がかい）を始めている……。

トヨタがはまった燃料電池車の落とし穴

魔王ロックフェラーの死は、タブーの決壊と同時に、新たなマーケット・シフトをもたらしている。ガソリン、ディーゼル、ハイブリッド車の禁止という劇的なEV（電気自動車）シフトなど、その典型だ。

世界が魔王の死をきっかけに、急激にEVシフトしているのに、トヨタだけは燃料電池車（FCV）に、かまけている。

完全にイルミナティが放ったEV潰しの罠（わな）にはまったのだ。

FCVの燃費は、EVの約9倍と、ばかばかしいほどに高い。さらに、水素ステーションは全国に100ヵ所に満たない。〝水素文明〟など、茶番といってよい。

幻想なのに、日本の旗艦企業トヨタは、まんまと、その罠にはまった。

ある筋は、こう断言した。

「トヨタは3年後には、倒産します……」

わたしも「トヨタは第二の東芝になる」「〝プリウス〟はガラケーになる」と警告している。

日本の先見性の無さは、もはや絶望的である。

さらに、世界市場は、劇的にシフトする。

文明が根底からパラダイム・シフトする。

だから、激変は当然だ。たとえば、コンクリート都市から木造都市への急激な変化。

医療大崩壊から始まる病院倒産、医者大量失業も衝撃的だ。薬物療法は衰退し、自然な波動・断食療法が台頭する。

武田薬品は7兆円で巨大製薬シャイアーを買収したが狂気の沙汰だ。

同様に東芝も日立も原発マフィアが仕掛けたM＆Aの罠にはまった。

〝尻ぬぐい〟のツケはあまりに大きい。

石油文明も急速に終焉（しゅうえん）に向かう。

だから、中東諸国は、先を争って石油マネーを、自然エネルギー投資にシフトさせている。２０１７年11月のサウジアラビア政変もその表れだ。

旧勢力の悪行が次々に暴かれていく

ちなみに、米国内におけるヒラリー、マケイン拘束騒動も、旧勢力没落の象徴だ。

その真逆が、トランプ大統領の登場である。

そのトランプは、米軍部を使って、ＣＩＡなどに巣食う旧勢力の一掃を強力に推し進めている。9・11やIS「イスラム国」の捏造などに荷担した旧勢力の残党は、刑事訴追の恐怖に怯えている。

世界の政治勢力図にも激変が走っている。

アメリカのドル・石油支配体制は崩壊し、ドルは基軸通貨から転落。中国・ロシアを基軸とした元本位制に移行する……とさえ、いわれている。

また、ビットコインに代表される仮想通貨の普及は、イルミナティによる各国の中央銀行支配体制を終焉に追い込むだろう。

加えて、秘密結社が描いていた新世界秩序（NWO）構想も、頓挫するだろう。「人類家畜化」計画などといった妄想に、世界の人類が気づき始め、反発の嵐が巻き起こっているからだ。さらに、近代史の闇が次々に暴かれ、秘密結社の赤裸々な姿が、ようやく満天下にさらされようとしている。

若い人々よ！今こそ奮起せよ

相次ぐ内部告発などが、その典型だ。

驚くべき内部情報が、さらに続々と白日の下に暴かれていくだろう。

他方で、地球皇帝ロックフェラーが絶対に許さなかったネオ技術が登場してくる。

ＥＶシフトや木造都市などは、その端緒にすぎない。さらに、〝燃える水〟〝水エンジン車〟〝フリーエネルギー〟などが、次々に解禁されていくはずだ。

このとき、石油は〝ただの水〟と化す。

それは、まさに〝緑の文明〟に至る〝緑の産業革命〟に他ならない。

世界各国は、すでにハンドルを切り、アクセルを未来に向けて踏み込もうとしている。

一番の無念は、日本の目を覆うばかりの立ち遅れである。

「……このままでは、日本はアジアの最貧国の一つになる」

本気で懸念する声が、各所から聞こえる。

まさに、国難である。これを、突破するには、腐りきった政界、財界、学界、さらにメディアのトップを総入れ替えしないかぎり、不可能ではないか……。

未来を見据えた若い人々の奮起に、おおいに期待したい。

もはや、時間は、残されていない。

トヨタがはまった罠、燃料電池車に未来はない

――トヨタが〝第二の東芝〟に、プリウスが〝ガラケー〟になる落日

欧州、インド、中国、米国までが怒濤のＥＶ化

世界の自動車業界の、ＥＶ（電気自動車）化の動きがすごい。

ＥＶへのシフトは、もう誰にも止められない。

前作『書かずに死ねるか』でも指摘したように、それは一気に猛加速している。

そのスピードは、30年も昔からＥＶ化を訴えかけてきたわたしですら、眼を疑うほどだ。端緒（たんちょ）は、ノルウェー政府による突然の発表だった。

２０１６年、連合政権の中道右派と野党連合の合意として公表された。

それは「２０２５年から、ガソリン車、ディーゼル車、さらにハイブリッド車の国内

での販売を〝禁止〟する」という衝撃的なものだった。

ここで注目してほしいのは〝規制〟ではなく〝禁止〟ということだ。

両者には天と地ほどの開きがある。

すると、それに示し合わせたかのように、欧州諸国は、次々に〝禁止〟政策を公表してきた。

まず、オランダ――。与党、労働党が提議した〝禁止〟案が下院を通過。その内容はまったくノルウェーと同じ。2025年から全面禁止だ。

それに呼応して、スウェーデン、ドイツ両国が、やはり2030年から全面禁止。

とくに自動車大国ドイツの政策は決定的だ。すでに〝禁止〟議案はドイツ連邦参議院を通過している。なにしろ同国内の新車販売台数は約335万台（2016年度）と群を抜いている。これが「全車種をEVに換える」と宣言したのだ。

ドイツの決定はEUの決定とほとんど同義だ。メルケル首相は2017年9月24日の選挙直前に、雑誌『SUPERillu』のインタビューに「ガソリン車、ディーゼル車の販売禁止を指示した」と回答した。

首相本人は、具体的時期としては2040年頃を念頭に置いている、という。

しかし、公表された禁止時期は2030年だ。

他方の自動車大国スウェーデンもドイツと完全に足並みをそろえて同時発表。

環境大臣であり、かつ与党、緑の党のスポークスマン、イザベラ・ロヴィーン氏は「スウェーデンだけでなく、EU全体で規制すべき」と明言している。

恐ろしいのは、これら劇的変化は、欧州にとどまらないことだ。

まるで、ヨーロッパ諸国の激変に呼応するかのように、インドが「2030年から禁止」を打ち出した。人口10億人超の大国の禁止決断は、衝撃というしかない。

それだけではない。

いずれ、世界最大の自動車大国になると予測される中国が「2019年以降、規制」を突然公表。こちらは〝禁止〟ではなく〝規制〟だが、2019年から実施した。

まさに、焦眉（しょうび）の急。

共産党独裁だから、決定したら早い。

同国、工業情報化部の発表によれば、一充電300㎞走行可能のEVを、台数比で2019年2・3％、2020年2・7％と比率を高めていく。

次いで、英仏両国も足並みを揃え「2040年から禁止」を打ち出した。

これらの欧州勢、さらにインド、中国の怒濤（どとう）のEVシフトの変化を、さすがに無視できなくなったのか、ついに超大国アメリカも「2018年以降のガソリン、ディーゼル車規制」を公表した。それは「560㎞以上走行できるEV台数比率を、2018年に約1・1％、2020年に約2・4％、2025年に5・5％……と漸次、高めていく」という。

この目標値は、中国よりも低く、まさに、世界EV化の巨大潮流（メガトレンド）に抗（あらが）えず、押し切られ、呑みこまれた形だ。

魔王ロックフェラーの死で脱石油へ一斉加速

さて――。

この眼を疑うような世界自動車産業の激変に、唯一、取り残された〝自動車大国〟がある。

それが、わが日本である。

まさに、日本だけが蚊帳（かや）の外……。

上記の大激変は、ほとんど2017年という、わずか1年間で起こっている。

それは偶然では、絶対にありえない。つまり、欧州に端を発したEVシフトは、巧妙に仕組まれ、準備され、満を持して、一斉に公表されたのだ。

まさに、2017ショック……。

彼らは、いったい〝何〟を待っていたのか？

ズバリ言おう。ディビッド・ロックフェラーの死である。

彼の異名は〝悪の皇帝〟。さらに〝石油王〟として20世紀の地球に君臨してきた。

それだけではない。

戦争から医療まで、命とカネを奪う超巨大利権を掌握して生き抜いてきた男だ。

〝魔王〟の称号こそ、この男にはいちばん相応しい。

その〝魔王〟が、２０１７年3月に１０１歳の長寿で世を去った。

魔王死す。それに呼応して欧州諸国は、一斉に自動車産業の脱石油を打ち出したのだ。

注目すべきは、ガソリン車のみならず、ディーゼルまで〝禁止〟としていることだ。

北欧やドイツなどの自動車産業は、ディーゼル車の燃費、排ガスなどで、高い技術を誇ってきた。その技術を封印し、捨て去ってまで、ＥＶ化の道を選択したのだ。

さらに、注目すべきは、プラグイン・ハイブリッド車まで〝禁止〟としていることだ。

つまり、エンジンとモーターの併存は、認めない。

というより、わたしは、ここに欧州勢の底意地の悪い深謀を感じる。

はっきり言い切ってしまおう。これは、明らかにトヨタの〝プリウス〟潰しだ。

世界では〝プリウス〟といえば、〝エコ・カー〟の代名詞だった。

俳優レオナルド・ディカプリオをはじめ、ハリウッドのセレブたちも〝プリウス〟に乗ることで、地球にやさしい、アース・フレンドリーなライフ・スタイルをアピールしてきた。

だから、〝プリウス〟は、ハイブリッド車として世界ナンバーワンの地位と称賛を勝ち取ってきたのだ。

しかし、２０１７年、突如、世界に激震を与えたＥＶシフトの波は、いとも簡単に、このナンバーワン・エコカーを呑み込んでしまった。

このままでは、トヨタのお宝ブランド・カーは、海の藻くずとして消え失せるだろう。

地球上からガソリン、ディーゼル車が消える

わたしは、この怒濤のＥＶシフトの波に日本だけが取り残されていることに、呆然としている。その恐怖は、蚊帳の外……といった生易しいものではない。

超大国・中国、そしてアメリカですら、脱ガソリン・ディーゼルの行程表（ロードマップ）を公表している。それは、加速することはあっても、減速されることはない。

そして、スウェーデン、ドイツ、英仏などの脱石油・ＥＶ宣言は、間違いなくＥＵの公式政策となる。インド、中国、さらにはアメリカも動き始めた。

つまり……ついに地球からガソリン車が消える。

同時に、ディーゼル車、ハイブリッド車も消える。

それは、石油で栄えたモータリゼーションの終焉を意味する。

それは、石油文明の消滅へと向かう旅程だ。

つまりは、人類史において、第二の産業革命とでもいうべき、大激変なのだ。

わたしは、今、起こっている世界的激変を――火の文明から緑の文明への――パラダイム・シフトと位置づけている。

化石燃料で栄えた「闘争」の文明の終焉（しゅうえん）であり、「共生」の文明への夜明けである。

わたしが夢想し、祈念し続けてきた文明シフトが、ついに始まったのだ。

感慨無量である。

しかし、日本人としては、素直に喜べない。

なぜなら、日本のみが、この変動の巨大な波から、独りとり残されているからだ。


悪夢は現実、「トヨタが第二の東芝、プリウスがガラケー」


わたしは、暗澹（あんたん）としている。このままでは……。

「トヨタは〝第二の東芝〟になる」

「〝プリウス〟が〝ガラケー〟になる」

まさに、悪夢というしかない。

それでなくても、日本だけが先進諸国の中でも、完全に落ちこぼれている。GDPを比較しても、過去20年間で、中国14倍、米国2倍、英国2倍、ドイツ1・4倍と、成長を遂げているのに、日本だけは0・85倍……と、逆に貧しくなっている。

ジャパン・アズ・ナンバーワン……と持ち上げられた昔日（せきじつ）の栄光は消え失せた。

日本経済を牽引してきた大企業も、軒並み、尾羽（おは）うち枯（か）らしている。

シャープは、台湾のホンハイ・グループに買収されるという屈辱をなめ、技術のソニーも、もはや見る影もない。パナソニックに至っては、ゴミのように投げ捨てて中国にくれてやった三洋電機が、巨大白物家電〝ハイアール〟という怪物に変身するさまに唖然として、なす術（すべ）もない。

そして、東芝の落日……。日本経済を牽引してきた巨大企業の面影も今はない。

ウエスチングハウス買収という愚行の結末は、まさに、アメリカ原発政策の〝尻拭い〟そのもの。

つまりは、ウラン・マフィアの罠にはまったのだ。

わたしは、2017年のEVシフト・ショックに、日本を陥（おとし）いれる〝第二の罠〟を見る。

アメリカの諺(ことわざ)に「豚は太らせてから食え」という実に狡猾、残忍なフレーズがある。

先勝国アメリカにとって、日本はまさに食用豚だ。

敗戦後は、まだまだ可愛い小豚だった。

しかし、アメリカに追いつき、追い越せ……と、叱咤激励して育てあげ、ついに、〝食いで〟のある巨大な豚に成長した。

まさに、食いごろでデリシャスだ。

アメリカや欧州の列強は、いそいそと、ナプキンを襟元にはさんで、両手にフォークとナイフを掲げて、皿の上の豚肉料理の賞味を始めた、というわけだ。

〝第二の東芝〟として狙われたトヨタ

わたしは、確信する。

〝第二の東芝〟として狙われたのが、トヨタだ。

東芝をはめるための仕掛け罠がウエスチングハウスだ。

トヨタをはめた落とし罠が、燃料電池車（ＦＣＶ）だ。

『誰が電気自動車を殺したか？』という必見の告発ＤＶＤがある。

そこで取り上げられたのが、ＧＭが開発した高性能〝ＥＶ１〟だ。

この1000台以上も生産されたEVは、ユーザーたちの必死の抵抗も空しく、強制的に没収され、スクラップとされた。市民グループだけでなく、トム・ハンクス、メル・ギブソンなど、ハリウッド俳優たちまで、その蛮行に抗議している。

では、「誰が電気自動車を殺したのか?」。

答えは、明快である。

石油王ディビッド・ロックフェラーだ。

彼は、世界を闇から支配する秘密結社フリーメイソンの中枢イルミナティを牛耳る頭目であった。

GM開発の〝EV1〟は、あまりに性能がよすぎた。

まさに、脱石油のシンボルそのものだった。

それが、石油王の癇に障ったのだ。

だから、魔王は、GMがこのエコ・カーを販売することを許さなかった。

だから、所有権は、あくまでGMに存在するリースという、じつに不自然な契約を消費者は強制された。そして、魔王の命令一下、ユーザーたちの必死の抵抗も空しく、この傑作EV車は、強制的に没収され、砂漠の解体工場で極秘のうちにペシャンコに潰され、スクラップの山と化したのである。

このGMによる無謀無残な仕打ちを、一般の米国民は、いっさい知ることはなかった。全マスコミは、この非道な行為をまったく報道しなかったからだ。

魔王は、石油だけでなく、メディアも完全支配してきた。

だから、電気自動車の抹殺を、極秘裏に行うことなど、朝飯前だったのだ。

トヨタをはめたFCVの罠、燃費はEVの9倍と最悪！

魔王が、EV潰しに放った〝刺客（しかく）〟が存在する。

それが、燃料電池車FCVだ。『誰が電気自動車を殺したか？』には、その〝仕掛人〟まで登場している。それが、ベイビー・ブッシュ大統領だ。

彼は記者会見で、にこやかにFCVを称賛、推奨した。

なるほど、燃料電池車は、水素と酸素を反応させ発生する電気でモーターを回転させて、走行する。

排出されるのは〝水〟のみ。学校で習った水の電気分解の逆バージョンで電気を得るのだ。FCVも無公害ゼロ・エミッション・カーの一種である。

だから、ブッシュはEV潰しの刺客としてFCVをぶつけ、強力プッシュしてきたのだ。この、にやけ面の大統領を陰で操ってきたのがロックフェラーであったことは衆目の一致するところだ。
告発ＤＶＤ制作者も、その手の内はとっくにお見通し。
「……燃料電池車の燃費は、ガソリン車の3倍にも達する」（ナレーション）
この一事をもってしても、ＦＣＶはＥＶに勝てるわけがない。
なにしろ、ＥＶの燃費は、ガソリン車のさらに3分の1なのだ。
つまり、燃料電池車はＥＶの9倍も燃費が悪い……！
これが、ＦＣＶ第一の致命的欠陥である。
勝負あった、というより、はじめから勝負にならない。
9倍も燃費の悪いクルマを、いったい誰が買うというのか？

燃料電池車……水素がなければ、ただのハコ

さらに、ＦＣＶには隠された欠点がいくつもある。

まずは、水素インフラが存在しない……という決定的な悲喜劇だ。

わたしが日本の電気自動車の父として、尊敬している天才エンジニア、清水浩氏（工学博士）は、わたしの取材にあっさり一言。

「……水素がなければ、ただのハコです……」

このインフラ欠如こそ、ＦＣＶ第二の致命的欠陥である。

これに対して、日本のどんな僻地（へきち）でも、電気のインフラは整備されている。

だから、どこの家庭でも、自宅でＥＶチャージが可能だ。

ＦＣＶを購入した客は、どこで水素を得ればいいのか？

第三の欠陥は、水素は極めて危険な〝燃料〟である、という事実だ。

「通常は気体です。極めて燃えやすく、爆発しやすい。それを、燃料にするなど狂気の沙汰です」

東北大、斎藤武雄名誉教授（工学博士）は、呆れ果てる。

だから、第四の欠陥が浮き彫りとなる。いまだＦＣＶへの水素燃料の「保管」「輸送」「供給」の公的基準も確定していないのだ。

第五の欠点は、水素ステーション建設には、莫大なコストがかかる、という点だ。

極めて危険な可燃気体である水素の取り扱いには想像を絶する設備投資が必要となる。

試算では、水素ステーション建設コストは最低でも2億円といわれる。

ガソリンスタンドは２０００万円。

電気スタンドなら２００万円……。

なんと、水素ステーションの１００分の１だ。

つまり、水素供給施設1基の建築費で100基の電気スタンドを普及させることができる。

第六は、水素供給は危険で、EV電気供給は利便……という決定的格差だ。

EVに使用されるのはリチウムイオン電池。それは、改良を重ね、世代を重ね、性能は驚くほど向上している。すでに、わずか10分前後で急速チャージが可能という。

将来のEV社会では、コンビニ駐車場には、コイン式電気スタンドが設置されるだろう。そこで、コインを入れて、店内で買い物をしている、わずかな時間でEVに満タンチャージが可能となる。

第七の欠点をあげよう。

それは、FCVの価格が高すぎることだ。

トヨタが発売している〝MIRAI〟は、723万円ナリ。買う人がいるのか⁉

以上のように、燃料電池車は欠陥だらけ……。

だから、EVのライバルとしてFCVをぶっつけること自体、子ども騙しなのだ。

少しでも頭が働けば、世界中を見回しても、こんな見えすいた罠にひっかかるバカはいない。だから、海外ではFCVを選択した国もメーカーも皆無だ。

ところが、こんな子ども騙しに引っかかったバカがいた……！

それが、日本政府と日本自動車メーカーである。

その筆頭がトヨタなのである。

水素基地100ヵ所以下、〝MIRAI〟に未来なし

まず、日本政府の方向性が不可解。なんとEVではなく、このFCV開発を異様な熱気で推進しているのだ。

キャッチフレーズは「未来は〝水素文明〟」。

その道筋が、FCV（燃料電池車）の選択というわけだ。

つまり、世界中が怒濤のEVシフトを打ち出している今このときに、日本だけが独りFCVシフトを宣言している。

つまり、日本だけが〝わが道を行く〟……。

わたしは、このクニの未来に、息が止まるほどの不安と恐怖を覚える。

FCV〝MIRAI〟のカタログは、一見、夢の未来が満載されているように見える。

トヨタが社運をかけて開発、発売した〝MIRAI〟……。

なかなか、スタイリッシュでかっこいい。

そこには、こうある。

「一充填3分×走行距離約620㎞」

これだけ見れば、なかなかの性能と感服、納得するユーザーもいるだろう。

しかし、次の注意書きが、小さな小さな文字で、目立たないように書かれていた。

「……充填圧および外気温により、充填時間は異なります」

つまり、3分とは同社が特殊条件で達成した最速記録でしかない。

さらに——、カタログで同社は、こう断っている。

「……仕様の異なる水素ステーションで充填した場合は、タンク内に充填される水素量が異なるため、走行距離も異なります」

水素ステーションは最低でも2億円ナリ

トヨタの水素カー「MIRAI」は723万円ナリ

つまり、620㎞の走行距離も、絵に描いたモチだった……。

それよりなにより、水素ステーションは、いったい、どれくらい、どこにあるのか？

調べて唖然とした。全国でもわずか100ヵ所にも満たない。

たとえば、広大な北海道は、札幌市に1ヵ所のみ。

北海道で〝MIRAI〟を買うと、コメディというより地獄の日々が待っている。

いちいち〝燃料〟の供給に、わざわざ札幌まで、その都度、出向かなければならない。

青森、秋田、新潟、栃木、群馬などの各県にはゼロ！

宮城県は仙台市に1ヵ所のみ。

福島県は2ヵ所……。

あまりの数の少なさに、呆れて天を仰ぐ。

まさに、インフラなければ、ただのハコ……。

全国に100ヵ所以下しか水素供給ステーションがないのに〝MIRAI〟を発売したトヨタ……。

それは、もはや勇気というより狂気だ。

カタログにはなに食わぬ顔でこう記載している。

「……今後、多くの水素ステーションの整備が予定されています」

しかし、そのウソは、ばればれだ。

「水素社会の象徴ともいえる燃料電池車（ＦＣＶ）の売り上げは、伸びていません。燃料を供給する水素ステーションの数が、全国で１００ヵ所にも及ばないからです。経済産業省や地方自治体は建設費を補助するなど推進に力を入れていますが、本当に水素社会はやってくるのでしょうか？」（政治ジャーナリスト、高田泰氏ブログより）

テスラＥＶは走行距離１０００キロ以上を達成

日本政府もメーカーも、完全に〝やつら〟の罠にはめられてしまった。

そいつの正体はイルミナティ黒幕ロックフェラー。

にやけたベイビー・ブッシュが、ＥＶ潰しの先陣を切ってＦＣＶ推進に熱中していたことからも、彼らの手の内は見え見えだ。

そして、自民党政府も、トヨタも、まさに赤子の手をひねるように、ロックフェラーに騙され、踊らされた。

しかし、欧州各国は、したたかだった。

〝水素文明〟などといった妄想の洗脳には踊らなかった。

そして、20世紀魔王の余命が、いくばくもないことを知っていた。

魔王が生きている間は、うかつにEVにシフトすると潰される。

それはGM社の〝EV1〟の悲劇の末路がすべてを物語っている。

そこで、素知らぬ顔で、欧州各国のメーカーは、極秘裏に超高性能EVの開発を進めてきた。そして、2017年、魔王が死ぬや、満を持して開発したEVを矢継ぎ早に公開デビューさせている。

たとえば、テスラ社〝モデルS〟は一充電走行距1000㎞以上を達成と驚異的。

これは量産EVの最高記録だ。

さらに、スウェーデン〝ボルボ社〟新型EV〝ポールスター〟もテスラに追随する。

ドイツの名門ブランドのメルセデス・ベンツも2022年までに、全車種をEV化すると公表。その代表車種〝EQA〟を2017年フランクフルト・モーターショーで公開している。

このように欧州勢の自動車メーカーは、すべてEV一色。燃料電池車という非現実的な選択を行ったメーカーは、皆無なのだ。

〝2017ショック〟に慌てふためくトヨタ首脳陣

日本でEV開発に特化しているのは日産のみ。欧州ルノー傘下なので、燃料電池車の罠に陥らずにすんだ。同社の新型ＥＶ〝リーフ〟は、走行距離を従来２００㎞から倍の４００㎞に延ばすなど健闘している。

しかし、テスラ社など欧米先行メーカーの走行性能には遠く及ばない。

そして、最悪の選択をしたトヨタの未来は、真っ暗だ。

それを指導した自民党政府の罪は、さらに深い。

２０１７ショックに、トヨタ首脳陣は、そうとう衝撃を受けたようだ。

突然、同社はマツダとの提携を打ち出した。かつて、わたしはトヨタの電気自動車開発状況を取材して、愕然（がくぜん）とした。そのＥＶモデルは、まさに不格好なブリキのオモチャ。一充電の走行距離を知って腰を抜かしそうになった。なんと、60㎞……。

使用しているバッテリーを聞いて絶句した。

なんと、鉛（なまり）電池……。

わたしは、トヨタにＥＶを開発する意思は、皆無であることを確信した。

だから、取材の途中、席を蹴って帰ったのだ。

そのトヨタが、世界のＥＶシフトの急激変化に狼狽（ろうばい）している。

マツダにすがったのは、自社にないＥＶ技術を求めたからに他ならない。

また、パナソニックと突然提携を発表。ＥＶ電池技術を求めたのだ。

さらに、ネット通販の巨人アマゾンとの提携も模索している。

まさに、なりふりかまわぬ慌てぶりを感じる。

リニア、FCV暴走……日本を滅ぼす〝工作員〟たち

それにしても、自民党政権の燃料電池FCV路線は不可解。水素文明キャンペーンは不自然だ。

実は、〝かれら〟は……わかっていて、誤った道を突き進んでいるのではないか、とさえ思えてくる。

それは〝発ガン〟超特急リニア暴走と重なってくる（次項参照）。

乗客は安全基準の4万倍もの発ガン電磁波を浴びる。

そして、工事費は5兆円、9兆円……と膨れ上がり、民間プロジェクトのはずが、いつのまにか、国策事業となっている。発ガン電磁波の恐怖を知れば、乗客は皆無となる。まさに、亡国プロジェクト。それは、まさに絶望の燃料電池車の選択と、まったく同じ。なぜ、日本だけが狂気の暴走が止まらないのか？

陰謀史観に詳しい中丸薫氏は、かつてわたしにこうささやいた。

「中央官庁の課長以上は、みんなフリーメイソンですよ」

なら、〝かれら〟は日本を滅ぼすための謀略としてリニアを選択し、ＦＣＶを推進していることになる。そうでなければ、世界中がＥＶにシフトしているのに、日本だけが、ＦＣＶ邁進（まいしん）という狂気の道を突き進んでいる説明がつかない。

なるほど……安倍晋三をはじめ、〝かれら〟は日本を滅ぼすために、政府中枢に送り込まれた工作員たちだと思えば、すべてが腑（ふ）に落ちる。

かつては、明治維新の伊藤博文、戦後は、ＣＩＡ工作員、岸信介がそうであった……。

そして今、まさに、歴史はくり返しているのだ。

リニア新幹線が日本を滅ぼす、地獄へ道づれ10大暴走

――報じられないリニア災害と超巨額利権

マスコミがいっさい報じぬ亡国の危機

『リニア亡国論』という著作を世に問うた。
副題は「これでもあなたは〝夢の超特急〟に乗る気になれるか!?」。
リニアといっても、ピンとこない人も多いだろう。
なぜなら、この国のマスコミは、一切報じないからだ。
いっとき、メディアはリニア談合疑惑を取り上げた。
しかし、それも束の間、その後リニアを報じる動きは、まったくない。
このクニのテレビ・新聞は、お騒がせ女優のドラッグ疑惑や、大臣の贈り物問題など

になると、異様なまでの〝調査能力〟を発揮する。

そして東京オリンピックのマラソン・競歩の札幌開催の黒幕叩きに躍起だ。

マスコミは〝洗脳〟装置だから、呆れるのすら、ばかばかしい。

〝洗脳〟メディアの果たす三つの役割がある。

〝逸(そ)らす〟〝煽(あお)る〟〝落とす〟である。

まず、重大な出来事から、国民大衆の目を〝逸らす〟。

特定人物をスターに祭り上げ、煽る。

次にさんざん高い高いとやっておいて、突然〝落とす〟。

地面に叩き落とし、唾を吐きかけ、石を投げつける。

あのSTAP(スタップ)細胞騒動の小保方晴子さんがいい例だ。

一言でいえば、現代の〝魔女狩り〟である。最初は憧(あこが)れ、次に唾棄(だき)する大衆は、自分たちが巧妙に煽(あお)られ、操(あやつ)られていることに、ツユほども気づかない。

こうして、国民大衆が目を逸らされている間に、とんでもない危機が深く静かに進行していた。

それが、リニア中央新幹線計画の狂気の暴走である。

それは、日本を地獄に道連れにする巧みな謀略でもある。

巨大利権は50兆円まで爆発する⁉

現在、今このときも、国民は誰も気づいていない。

テレビは言わない。新聞は書けない。

しかし、超巨大な悪魔プロジェクトは、着々と進められている。

リニア中央新幹線――。

最高時速500km、2027年には、最速40分で品川と名古屋を結ぶ。2037年頃には、東京―大阪間を1時間7分で結ぶ計画だ。

まさに、国民の希望をかきたてる〝夢の超特急〟……に思える。

しかし、その正体を徹底的に調査して、愕然（がくぜん）とした。

これは、まさに〝悪夢の超特急〟である。それは、国民の健康を破壊し、経済を破綻させ、環境を壊滅させる。まさに、亡国のプロジェクトだった。

わたしは、この『リニア亡国論』執筆中に、なんともいえぬ恐怖を感じた。

このような本を書いていることが漏れると、〝消される〟かもしれない。

なにしろ、最低でも9兆円の超巨大利権なのだ。その伏魔殿（ふくまでん）の驚愕事実が露見すれば、水泡に帰すかもしれない。〝闇の勢力〟は、真実の漏洩を許さないだろう。

メディアがリニアに触れないのも当然だ。

いったん、取材、調査すれば、すぐに目のくらむゴマカシ、ペテンが大岩のようにゴロゴロ出てくる。

そこには、はてしなく膨張を続け、最終的には少なくとも50兆円に達するとみられる巨大利権の山がある。

隠蔽(いんぺい)された真実が暴露されれば、山体は大崩壊する……。

同書の目的は、目のくらむ亡国計画を阻止することである。

だから、執筆中は外部にはいっさい完黙を貫いた。

ようやく出版され、本の形になった。もはや、〝やつら〟に圧殺は不可能だ。

その〝亡国プロジェクト〟リニア10大欠陥を、ここに暴く――。

❶「安全基準」の4万倍！　恐怖の〝発ガン〟超特急

リニアは磁力の反発力で車両を浮上させる。

N極あるいはS極の反発力で、車体を浮き上がらせる。

基本原理は、小学校の理科実験レベルなのだ。しかし、1000人もの乗客を乗せた車両を浮上させ、それを時速500㎞で疾走させる。そのために投じる磁石の磁力は半端ではない。理科の実験とケタが違う。

巨大磁力を電磁石で発揮するには、巨大電流を流さなければならない。リニアは車体に超電動磁石を搭載している。さらに、ガイドウェイにも電磁コイルを装備している。

その反発力で浮上させ、牽引力で疾走させる（下図）。

このとき、ものすごい強度の電磁波が発生する。

それは、車内にいる乗客を直撃する。

「――あらゆる人工電磁波は有害である」

これは、電磁生態学の世界的権威ロバート・ベッカー博士（ニューヨーク州立大学医学部教授）の警告だ。わたしは1992年、博士の世界的名著『クロスカレント――電磁波〝複合〟被曝の恐怖』（新森書房）を翻訳

超電動磁石で浮上させ、牽引力で疾走させるのがリニアの仕組み

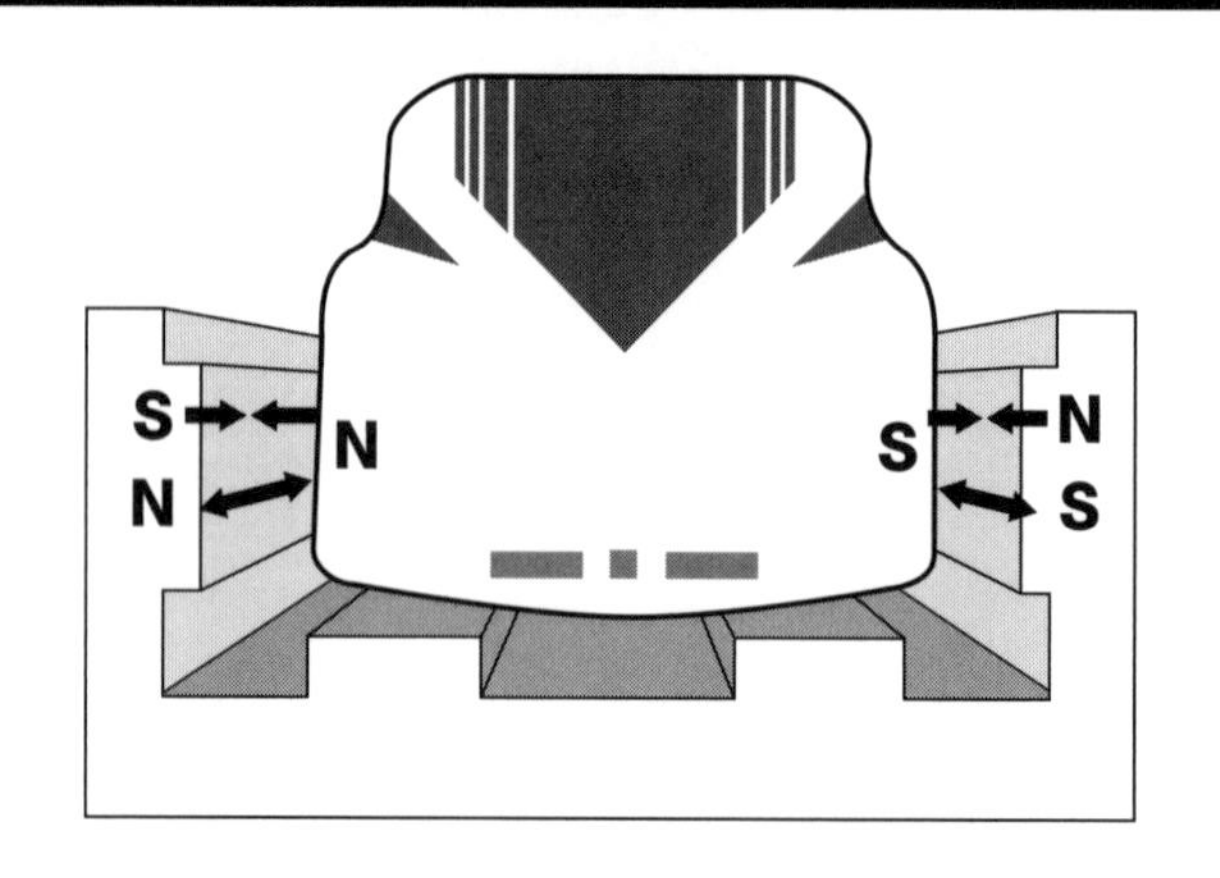

した。博士には、国際電話でも取材を重ねた。

ベッカー博士は、電磁波の10種類の有害性を列挙している。
❶成長細胞を阻害　❷発ガン性がある　❸ガンの成長促進　❹胎児の先天異常
❺神経ホルモン阻害　❻自殺など精神障害　❼生理リズムが狂う
❽ストレス反応　❾免疫機能が衰弱　❿学習能力の低下
これら10項目にわたる電磁波の有害性に「初めて聞いた！」と唖然とする人が、ほとんどだろう。

それも当然だ。電磁波の有害性は、マスコミの最大タブーなのだ。

朝日新聞のI記者は「うちは電磁波、書けないんですよね」とサラッと言った。

これは、あらゆるメディア全体に言える。だから、国民は、「電磁波の有害性」と聞いてもキョトンとするだけだ。そして「本当のことは書けない」と記者たちは肩をすくめる。

そんな〝洗脳〟装置の新聞にカネを払い、テレビにハマり、NHKに受信料をセッセと納めている。自らの知的（痴的）レベルの低さを反省するときだ。

さて――。

電磁波の有害性で、もっとも恐ろしいのが発ガン性だ。

ベッカー博士は、電気器具などから出る電磁波の「安全基準」を1ミリガウスとしている。そして、高圧線など居住地域は0・1ミリガウスを提唱している。

「これ以下で、安全というわけではない。あくまで目安の数値である」（同博士）

ノルデック報告は、電磁波の発ガン性を証明する決定的な証拠である。4ミリガウスを超えると、子どもの白血病、神経腫瘍（脳腫瘍）6倍、悪性リンパ腫が5倍と急増している。日本でも0・5ミリガウス未満にくらべて、4ミリガウス以上では、脳腫瘍10・6倍、悪性リンパ腫4・73倍と激増している。

電磁波の害は、胎児に激しく作用する。

IH調理器を使用する妊婦には流産リスクがある。

妊婦が電気毛布を使用したときにも先天異常の発生率は高くなる。

初期流産が5・7倍に跳ね上がっている。

妊娠初期に電気毛布からの電磁波を浴びると異常出産は10倍とケタ外れになる。

送電線や家電製品から出る電磁波は、せいぜい数ミリガウスから数10ミリガウスレベルだ。それでも、これほどの悲劇を発生させている。

では、巨大車両を浮き上がらせるリニアモーターカーの乗客は、どれほど有害電磁波を被ばくするのか？

推進側は、この被ばく量を徹底的に極秘としてきた。業を煮やした市民グループは野党政治家による「質問趣意書」を政府に突き付けた。

こうして、シブシブ提出されたデータには愕然とする。

国立環境研究所の測定データによれば「車両の床上で4万ミリガウス、モーター直下で70万ミリガウス」……という驚倒する数値だ。

なんと、「安全基準」の4万倍！

しかし、これも甘すぎる数値だろう。宮崎実験線では、車両床上で20万ミリガウスを測定している。

そして――強い電磁波を浴びると、その後、発ガンリスクが跳ね上がるのだ。

「……ガン細胞に低周波の電磁波をまる1日照射すると、増殖スピードが24倍と驚くほど早まった」

「それは、ガン細胞を攻撃する免疫細胞に、より強い耐性を獲得した」「それらは、照射を止めたあとも数百世代後の細胞に受け継がれた」（米、ジュリー・フィリップス博士）

つまり、いったん発ガン超特急リニアに乗ると、下車したあとも長い間、強烈な発ガンリスクが後遺症で続くのだ。

リニアの正体は、超高速で走る恐怖の〝発ガン装置〟だった。

この事実を知れば、だれも乗るバカはいない。

海外ではあらゆる国がリニア開発を断念している。この驚愕の発ガン電磁波から、乗客を防護することが不可能と判断したからだ。暴走しているのはニッポンだけだ。

バカ正直な日本人なら、どこまでも騙せると〝やつら〟は踏んでいるのだ。

❷「絶対ペイしない」JR東海社長が爆弾発言

2013年9月、JR東海の山田佳臣（よしおみ）社長（当時）は、記者団の前でこうぶちまけた。

「リニアは、絶対ペイしません！」

推進当事者トップの、公式記者会見での仰天発言である。

それでも、山田社長は、現在も取締役相談役職の重席にある。もしも、発言が事実と異なるなら、責任を問われて解任されているはずだ。それが、堂々と重職にある……ということは、「絶対ペイしない」は、JR東海経営陣のホンネ、共通認識なのだ。

このようにリニア推進母体とされているJR東海に、ヤル気はまったくない。

「こんなお荷物押しつけられて迷惑だ！」

そんな不満が経営陣の口からポロリ漏れてしまった。

ホンネ発言は、山田社長だけではない。

さかのぼって、JR東海・初代社長の須田寛氏も、こう漏らしている。

「……リニアのコストは5兆円以下でないとむずかしい。国家プロジェクトだから、公的援助が必要だ」

JRは、ハナから独立採算を諦めているのだ。

ヤル気がまったくないのは、当時の監督官庁、運輸省も同じ。

「……国の援助がないとできないシロモノだというのでは、一生懸命、開発したって、どこにも普及しないわけだ。外国に売ろうとしたって売れないシステムだ。それでは意味がない」（溝口正仁、技術開発室長）

これら現場の嘆きは、すべて正しい。その口をふさいで、猛烈に狂気の計画を推し進めている〝やつら〟がいる。日本を滅ぼそうと密かに企んでいる〝工作員〟たちだ。

そのトップで声を張り上げているのが、安倍晋三だ。

❸誰も乗らない！　空気を運ぶだけ〝夢の超特急〟

乗客は「安全基準」の4万倍、電磁波被ばく……。

下車した後も数10倍（数100倍？）の発ガン性は続く。この事実を知っただけで、リニア中央新幹線の乗客はゼロになる。

リニアは時速500kmの超高速で空気を運ぶだけのただのハコと化す。

これひとつでリニアの破綻理由としては十分すぎる。しかし、それだけではない。

そもそも、誰でも首をひねる。

「リニアは、いったい、何のために、誰のために造るのか?」

JR東海側の建設理由は、以下のとおり。
①東海道新幹線の輸送力が限界に近い。
②いっそう高速化が求められている。
③在来新幹線の老朽化で代替線が必要。
たった、これだけ……!

ところが、1990年から17年間で輸送実績(乗客数×移動距離)は、1割強しか伸びていない。なら2階建て車両を増発すれば、それで十分だ。それどころか、これから少子化により、いやでも乗客は減っていく。①は完全に否定される。
②も、実は「のぞみ」も時速500km走行が可能という驚愕の事実がある。
中国ですら、すでに2011年に時速500km走行の超高速列車を公表している。フランスTGVも、なんと最高速574・8kmを達成(後述)。

また、建設費は新幹線と同じで、電力消費3分の1、速度500kmという〝エアロトレイン〟の存在もある。リニア開発、推進の理由は、とっくにフッ飛んでいるのだ。
③も、老朽化した在来新幹線を補修すればすむ。
それに、「のぞみ」高速化だけで、リニア開発の根拠は完全に粉砕される。

しかし、JR東海、政府のリニア推進理由に次のくだりがあり、唖然とした。

「……新幹線利用客の約半分がリニアに移ると予想される」

あいた口がふさがらない。何の根拠もない。机上の空論以前だ。エンピツをなめたデッチアゲ数字だ。こんなデタラメ〝予想〟で、この国の巨大国家プロジェクトは推進されているのだ。ちなみにJR東海は、リニア運賃を、名古屋まで700円、大阪まで1000円上乗せ、と公表している。国民の目をあざむく空証文（からしょうもん）だ。

関係者は「工費がかさみ、『のぞみ』の3倍以上の料金でも利益が出ない」と天を仰いでいる。

❹工費5～9兆円の大ウソ、将来50兆円に大爆発?

推進側は、リニア工事費を東京～名古屋間が5兆4300億円、東京～大阪間で9兆3000億円と公表している。しかし、市民グループが、数値の根拠・内訳を問い質しても、まったく答えられない。つまり、国民を騙すため、低めの予算を見せているにすぎない。公共事業予算は、当初の見込みよりも膨れ上がる。それが常識だ。

たとえば、本四架橋（神戸〜鳴門）は4・7倍に跳ね上がっている。

なら、少なくともリニアは5倍に爆発増加しても不思議はない。

工事費激増が懸念されるのが、南アルプスを貫くトンネル工事だ。なにしろ、リニア東京〜名古屋間の約9割はトンネルなのだ。南アルプスは破砕帯という活断層が幾重にも重なっている。そこをトンネル工事が貫く。すると、大出水が襲う。

かつての映画『黒部の太陽』で再現された衝撃映像がすべてを物語る。黒四ダムのトンネル工事は、破砕帯の出水のため悪戦苦闘……7ヵ月も工事が延びている。

「山岳トンネル工事費の実績」が、リニア工事費の爆発を予告している。

いちばん安上がりだった北陸新幹線に比べて、リニア南アルプスは6倍！

それも「推計」とあるのに注意。「いくらかかるか、わかりません」と言っているのだ。つまり上限なしの青天井なのだ。

おまけにスーパー・ゼネコン4社による談合犯罪も発覚。この時点で、最重要機密の決定路線を、ゼネコンに漏らした有力政治家の名が取り沙汰されている。

その犯人が安部首相本人というから、森友・加計問題も吹き飛ぶ一大疑獄なのだ。

しかし、マスコミは異様に沈黙している。

安倍首相は、突然、リニア推進に財投（財政投融資）で3兆円もの大盤振る舞いを始めた。これで、民間主導のメッキが剥げた。正体は、国策であり、さらに、この国を闇から操る勢力（イルミナティ）の謀略であることは、論を待たない。

安倍は、その使いっ走り。走狗にすぎない。

では、なぜこうもリニアに固執するのか、その真の狙いと更なる危険性を解き明かす。

❺リニアも名古屋まで1時間40分かかる！

何のためのリニアか？　推進側キャッチコピーは「名古屋まで40分！」。

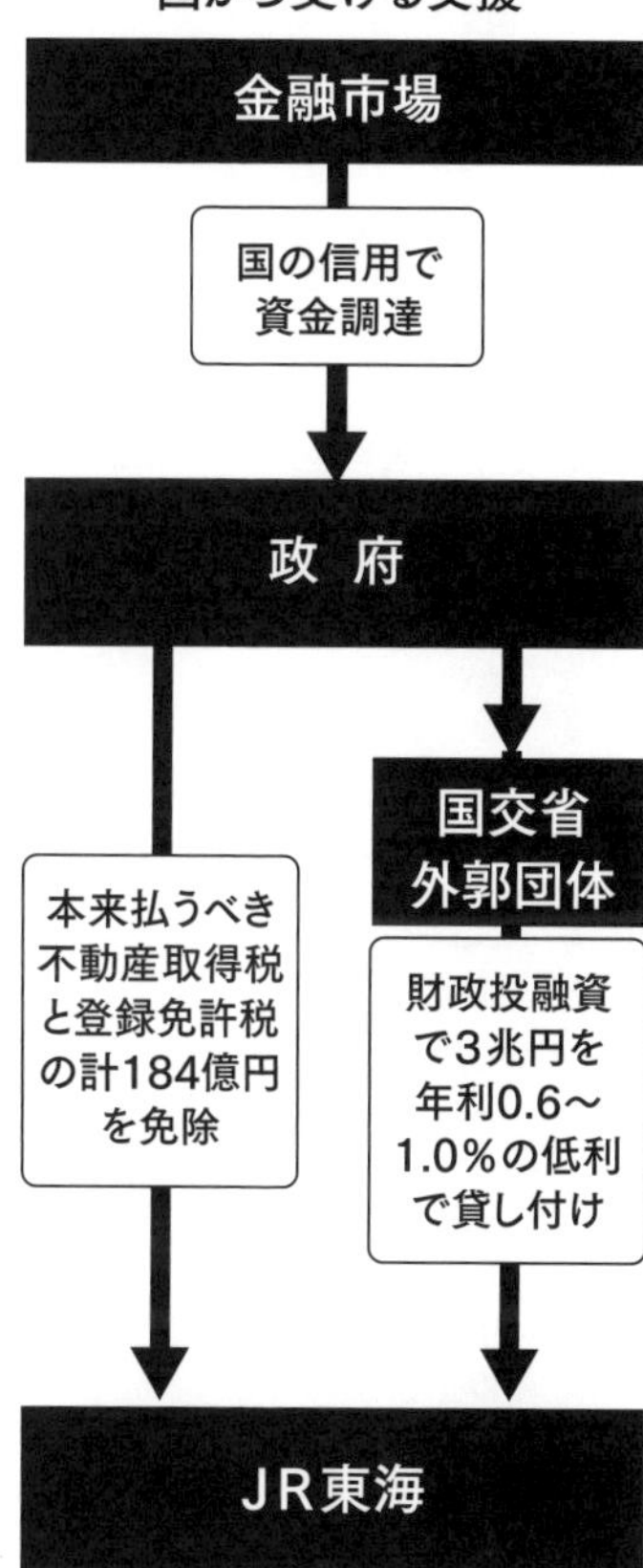

だから、国民だれもが東京から名古屋まで40分で行ける、と信じ込んでいる。

ところが、実際は約1時間40分かかる。

「のぞみ」と同じじゃないか⁉

このミステリーの謎を解く。

あなたは、笑うしかないだろう。

Aさん、Bさんがいる。Aさんは東京駅から「のぞみ」で名古屋に向かった。

Bさんは「急いでいる」ので、リニアを選んだ。

さて、Aさんを見送ったあと、品川駅に向かわなければならない。リニア新駅は品川にあるからだ。

山手線を待ち乗車する。品川まで11分。下車してリニア新駅に向かう。ところが、山手線ホームは、港南口(こうなんぐち)（新幹線口）の反対側にある。広大な品川駅を横切って港南口のエスカレーターで地下へ。リニア新駅は地下50メートル。都営大江戸線より、さらに深い位置にある。この乗換えで20分、重い荷物があれば30分はかかる。

さらに、リニアは名古屋直行便は1時間に3本と予想される。

待ち時間20分は見る必要がある。

そして、ようやくリニアに乗車して40分。

名古屋に着くまでの時間を足すと約1時間40分……。

「のぞみ」と同じになってしまう。

「のぞみ」で行ったAさんは座席でユッタリくつろいで名古屋に到着。Bさんは重い荷物を引きずって汗だくで奮闘してリニアでグッタリ名古屋着。こうなると、一幕ものの喜劇である。

名古屋から東京に向かっても、逆バージョンで同じ喜劇（悲劇）が繰り返される。

❻「のぞみ」も500㎞走行が可能だ！

そもそも旧国鉄技術陣がリニア開発を始めたキッカケは、ある一つの〝迷信〟からだ。

「鉄道では時速300㎞を超えると車輪が空回り（からまわ）する」

つまり、鉄車輪ではこれ以上の高速化は不可能……と、技術者たちは信じていた。

だから、高速化にはリニアしかない……。

しかし、この〝迷信〟をひとつのニュースが打ち砕いた。

フランスの高速鉄道TGVが、時速500㎞走行を達成したのだ（現時点では578・8㎞）。

〝空回り説〟はデマだった！

実際、ＪＲ東海が試みに「のぞみ」型車両を試験すると、軽く４４３㎞出た。

「のぞみ」７００系は世界最高性能という。現在でも３７０㎞走行が可能なのだ。台車モーターを2台から3台にすると、出力は１・５倍。単純計算でも４４３×１・５で時速約６６５㎞。だから余裕で５００㎞走行できる。

それならリニア開発は、まったく意味がない！

リニア推進の大義も名分も吹き飛んでしまう。

だから、マスコミはＴＧＶ５７４・８㎞達成のニュースも流さない。

そして、「のぞみ」もＪＲ東海は平均２１０㎞の〝ノロノロ運転〟で営業している。

実力速度３７０㎞より１６０㎞も遅い。

なぜ、「のぞみ」は57％にまで速度を抑制して走っているのか。不自然極まりない。

じつは、「のぞみ」に速く走られては困るのだ。リニア推進のウソが国民にばれてしまう。重ねて言おう。

「のぞみ」は５００㎞走行が可能なのだ！

むろん、路線の改良、整備は必要だろう。

それでも、南アルプスの最深部を、延々とトンネルを掘って縦断する狂気の難工事に比べれば、こちらのほうが、はるかに安上がりで現実的だ。

❼電力は新幹線の40倍！　狙いは原発推進だ

リニアの黒幕は、日本を闇から支配する勢力……つまり、イルミナティである。

安倍首相は、その忠実な使いっ走りである。

闇の勢力の頂点に君臨するのが〝双頭の悪魔〟ロックフェラーとロスチャイルドの両財閥だ。

ロックフェラーが石油王なら、ロスチャイルドはウラン王だ。

世界の原子力利権、つまり原発と原爆を掌握している。

〝かれら〟がリニアをゴリ押しするのは、原発建設がセットだからだ。

専門家の試算によれば、リニアの電力消費量は新幹線の40倍……。リニアを導入すると新たな原発が2基必要となる。だから、リニア推進の裏の狙いは新規の原発建設なのだ。リニアと原発——表と裏で、〝かれら〟はボロ儲けだ。

ちなみに、連中は地震大国日本の沿岸に54基もの原発を押しつけた。

その目的は、最初はエネルギー施設、終わりは戦略核地雷である。

次ページの図は、沿岸の原発が、各々、圧力容器など爆発事故を起こしたとき予測される死者数だ。

原発大事故で1000万人、2000万人単位で悶死する

原発事故による犠牲者の予想

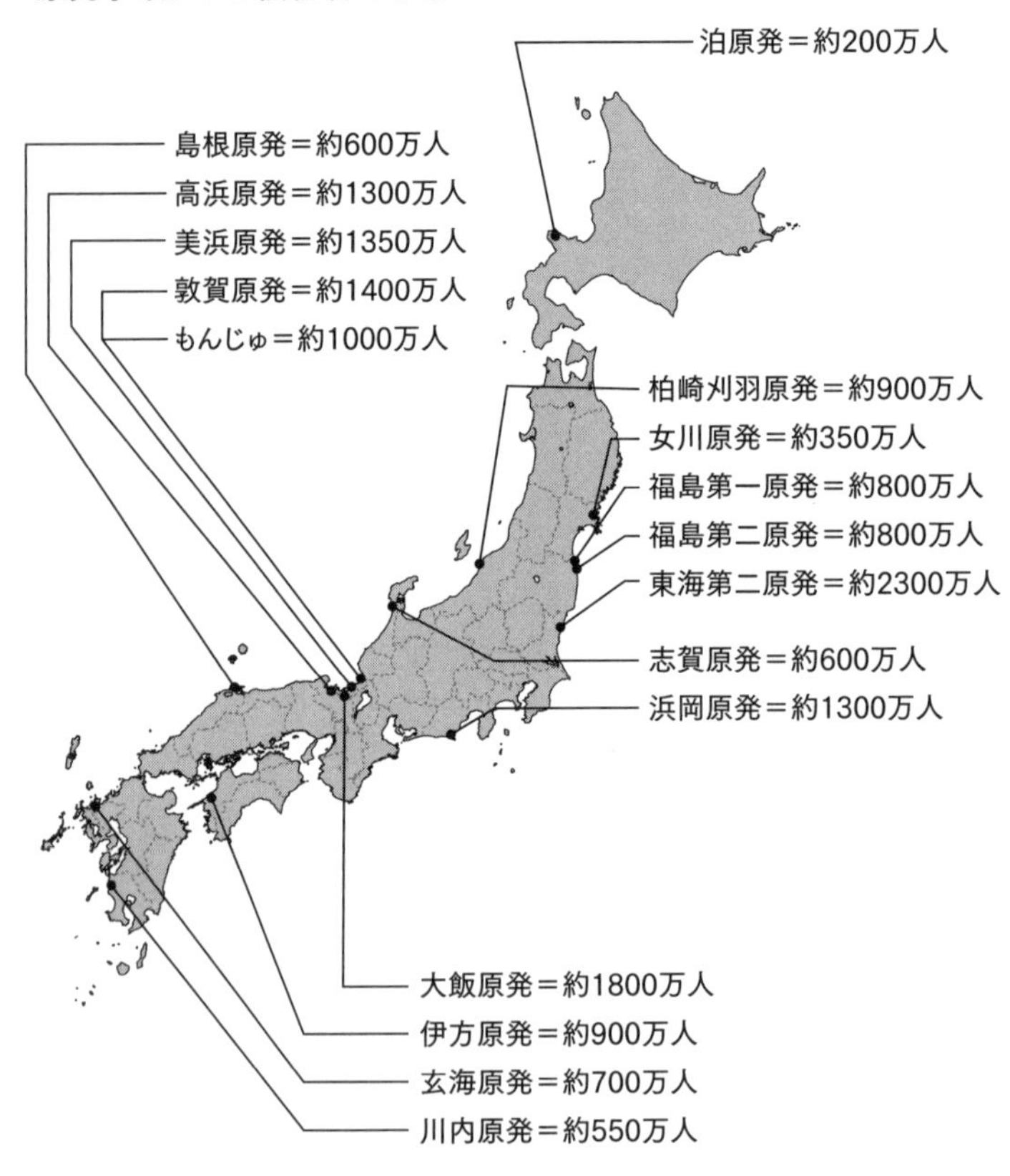

＊小出裕章氏の「日本の原発事故〝災害予測〟」を参考に作成

たとえば東海第二発電所が爆発すると、２３００万人が猛毒放射能で苦悶死する。

ちなみに「原発は安上がり」と信じている底無しの大バカ者がいる。

政府が発電コストは自然エネルギーより安上がり、と発表すると、丸呑みでそれを信じている。

公的補助金を隠したデタラメ数値なのだが、バカ正直の国民はコロリと騙される。

たとえば南海トラフ大地震が起きたとする。

ペンタゴン（米国防総省）は、日本人の犠牲者を約２０００万人と見積もっている。

これは、伊方と浜岡の両原発が津波などで爆発することを想定している。

これでも、原発推進を叫ぶ人がいたら、まちがいなく狂人だ。

❽９割トンネル、南アルプスの谷が涸れる

リニアのトンネル工事は、無数にある南アルプスの破砕帯を貫く。

そこには、膨大な地下水が流れている。それが麓（ふもと）で湧水となり、渓流をつくり、自然を養い、河川となって沿岸地帯を潤す。

その水脈にリニア新幹線は穴を穿（うが）つ。

風呂桶にキリで穴を開けるようなものだ。

地下水脈は、新しい〝水路〟に奔流となって流れ込む。

すると――。

「南アルプスの谷が涸れる」

環境団体は、悲鳴に近い声を上げる。

多くの市民グループ、住民団体が「ストップ！　リニア」の声を上げている。裁判に訴えている。

その理由の一つが、リニア工事による環境破壊だ。

とくに、南アルプスの景観破壊は、地元にとって致命的だ。

渓流が涸れれば森林も枯れる。野生動物たちも絶滅する。自然美で観光客を魅了した渓流は、死の渓谷と化す。それは、観光資源の壊滅を意味する。

裁判で、ＪＲ東海側は、噴出した水は脇トンネルで下流に戻す、と答弁している。

しかし、それは……河川の上流は壊滅する……ことを意味する。

「工事などやめろ！」「白紙撤回しろ！」

静岡県知事・川勝平太氏も怒りをあらわにする。

同県は、水量豊かな大井川を擁している。

その一級河川がリニア工事で涸れかねない。

観光や農業など、地元産業に対しての影響は、計り知れない。

リニア工事は、沿線一帯の産業を滅ぼしかねない。まさに、狂気の愚策なのだ。

❾未知のクエンチ大事故を覚悟せよ！

信じられないかもしれない。リニアには運転士がいない！　無人の超特急なのだ。

運転は中央司令部からコンピュータで行うという。しかし、宮崎実験線では、突然、停まったり、暴走するなど、不可解な動きを見せている。

コンピュータ・エラーによるものとみられる。

そんなリニアを無人で時速５００㎞の猛スピードで走らせて安全なのか？

さらに、リニアには、いまだ解明されていない致命的欠陥がある。

それが、〝クエンチ〟現象だ。

これは、超電動磁石が、突然、磁力を失う。

原因は不明だ。ということは予防策もない。

このクエンチは宮崎実験コースでは14回も発生している。さらに、宮崎実験線では、リニア車両全焼事故も起こっている。わずかなブレーキ火花で車体は黒煙を噴いて燃え上がった。なぜか？

リニア車両は、軽量化のためプラスチック、アルミでできている。これらは可燃素材だ。鉄道材料は難燃性であることを義務付けた「運輸省規則」に違反している。

しかし、燃えにくい鋼鉄などを採用すると、その重量で浮上できない。だから、ライターのように燃え上がるのはリニアの宿命なのだ。

想像して欲しい。

時速500㎞の高速で暗黒のトンネルを走行中、クエンチが起きた瞬間を……。

リニア車体は側壁に激突、摩擦で火花が発生、それは、たちまち車体を炎上させる。1000人の乗客は火だるまの車体の中で悶死(もんし)するだろう。

たんなる火災の発生でも生存は絶望的だ。

住民グループが、事故のばあい、避難方法をJR東海に問い質している。

JR東海は、こう説明している。

「……トンネル下部に避難路が設けてある。そこは防炎、防煙構造なので、避難立坑(たてこう)まで徒歩で向かって、そこから外部に脱出していただきます」

避難用の「立坑」「斜坑(しゃこう)」は、10㎞おきに設ける、という。それでも28本……という数になる。

事故のとき、乗客は最悪5㎞も暗闇を歩いてたどり着く。

ところが、ＪＲ東海は、住民グループに、まったくウソの説明を行っていたのだ。

住民たちに説明した避難方法によれば、なるほど、トンネル下部には、避難通路がある。ところが、最新のトンネル断面図には、避難路がまったく……ない！

〝かれら〟は、乗客の命より、建設コスト削減を優先したのだ。

新たな避難指導にこうある。

「火災などのばあいは、本トンネルを風上に向かって逃げて下さい」

暗黒のトンネルで、どうしたら風上、風下がわかる、というのか？

宮崎実験線では、リニア車両は出火と同時に、見る間に黒煙を噴き上げ全焼した。

車両素材プラスチックが燃えると、青酸ガス、ホスゲン……など、猛毒ガスが大量に噴出する。

これらは致死性神経ガスだ。一呼吸するだけで、ほぼ即死する。

ＪＲ東海のホンネは、「……あきらめて死んでください」。

この一事を知っただけで、リニア乗客はゼロになるだろう。

❿「オレは乗らない！」ＪＲ元会長は断言

「リニアは、絶対ペイしない！」

２０１３年、記者団の前で断言したのは、ＪＲ東海の山田佳臣社長。

さらに、かつての監督官庁・運輸省の技術開発部長も「一生懸命、開発してもどこにも普及しないシロモノ」と、吐き捨てている。

これら仰天事実は先に述べた。

つまりは、推進母体のＪＲ東海も、政府担当者までも、ハナからサジを投げている。当事者たちですらヤル気ゼロなのだ。

官民あげて担当者のホンネは「リニアは、やりたくない……」。

とりわけ、ＪＲ側は「クニから押しつけられてエライ迷惑」というのが、偽らざる本心なのだ。

なのに、安倍内閣だけは異様なハイテンションでリニア中央新幹線構想に前のめりで突き進んでいる。

安倍首相は、財政投融資３兆円もの巨費をブチこみ、ＪＲ東海の鼻先にブラ下げて、その尻を蹴飛(けと)ばしている。

イヤがる馬を、無理やり引きずっているのと同じ構図だ。じつに異常極まりない。

そこに、決定的証言が、飛び出した。

「オレは、リニアには乗らない！」という爆弾発言。

言ってのけたのが、JR東日本、元会長の松田昌士氏。

それは週刊誌『日経ビジネス』（2018年8月20日号）インタビューで、飛び出した。

この特集タイトルも凄い。

21ページもの記事の冒頭、大見出しは……。

「リニア新幹線　夢か、悪夢か」

中見出しも、迫力満点だ。

「国鉄は二度死ぬ」。そこにJR東日本、元会長の松田氏の衝撃発言が掲載されている。

同誌から引用する。


……だが、そんな短時間の試乗で「いける」と思い込むのは危険な素人考えだと、JR東日本元会長の松田昌士は言う。

国鉄時代からの経験を基に、こう話す。

「歴代のリニア開発のトップと付き合ってきたが、みんな『リニアはダメだ』って言うんだ。やろう、と言うのは、みんな事務屋なんだよ」

高価なヘリウムを使い、大量の電力を消費する。

トンネルを時速500㎞で飛ばすと、ボルト一つ飛んでも大惨事になる。

「俺は、リニアには乗らない。だって、地下の深いところだから、死骸も出てこねえわな」（松田氏）

じつに、正直なホンネだ。いったんリニア火災など起きれば、死骸も出てこない。それは、今回指摘したように「地下大深度トンネル」で乗客避難は、いっさい考えていないからだ。

「火災のときは、風上に向かって逃げて下さい」

気の遠くなるような〝避難指示〟だ。

当然、乗客は全員、燃え盛る車両のプラスチック部材から発する毒ガスで窒息し、焼け死ぬ。

松田氏の言うとおり、「死骸も出てこない」。

⑪森友・加計問題もフッ飛ぶ3兆円〝お友達融資〟

財界の御用メディア、日経新聞が、これほどの特集記事を組んだ。

それは、まさにリニア亡国に、主要メディアも気づいたことを意味する。

ようやく、マスコミもリニアに潜む罠に目覚めたのだ。

次の中見出しに注目――。

「……森友学園、加計学園の比ではない3兆円融資。その破格の融資スキームが、発表される前、安倍と葛西（ＪＲ東海代表取締役）は、頻繁に会合を重ねていた」（同誌）

「無担保で3兆円を借り、30年間返さない。財政投融資（財投）のリニア融資スキーム」

評論家の佐高信氏は、断言する。

「……森友学園や加計学園で、官僚を黙らせて、安倍はあれほどいかがわしいことをやっていたのだから、リニアでは、その何百倍もの汚職をやっているだろう。それはもう疑獄といっていい」（『日刊ゲンダイ』２０１７年12月25日付）

そもそも、安倍を背後から操るフィクサーが葛西敬之その人なのだ。

彼は、ＪＲ東海代表取締役・名誉会長の座を独占している。

彼こそが、日本のリニア推進の〝黒幕〟である。

つまり、ＪＲ東海は、リニア・マフィア巨魁にハイジャックされたのだ。

こうして、葛西は「安倍首相の人脈をフルに使い、3兆円をほぼ無利子といっても過言ではない低金利で引き出した」（『週刊東洋経済』２０１７年9月25日号）

そもそも、財投は鉄道建設費用などに適用してはならない、という鉄則があった。

それを、安倍は法律をねじまげ適用した。

……無担保で3兆円を貸し、30年間も元本返済を猶予する。しかも、超長期なのに金利は平均0・8%という超低金利……。

「……『いや、あの融資条件は、他に聞いたことがないですね』。同じ財政投融資という融資スキームを扱っている日本政策金融公庫の幹部も首をかしげる」(前出『日経ビジネス』)

まさに、森友・加計問題が、子ども騙しに思えてくる。

こちらは、その数百倍の超弩級スキャンダル(犯罪!?)なのだ。

⓬静岡県知事も市民も世紀の愚行に絶対反対

これほど、無理難題を無視してやりたい放題のリニア計画暴走。

だから、司法関係者までもが、ヤル気を喪失、投げやりだ。

リニア反対の住民訴訟でのやりとり。9月14日、第11回の口答弁論で、「原告適格」の線引きについて原告側弁護士が「計画の線引きも、残土捨て場も決まっていない。被害がどこに発生するかわからない。だから被告の国側が先に計画を明らかにすべき」と主張。

まさに、正論である。

　すると裁判長は、こうのたまわった。

「（リニアの）計画は、モヤ～ッとしているのですから、原告適格の主張も、モヤ～ッとでいいから、出してください」

　裁判官ですら、この体たらく。

　まさに、このクニは思考停止に陥っている。

　しかし――、実際に、リニア強行で大きな被害をこうむる住民や自治体は、たまらない。黙ってはおれない。

「リニアは白紙撤回せよ」「工事は着工させない」

　真っ向から反対を唱えているのが前出の静岡県、川勝平太知事。そのため静岡工区8・9キロが未着工のままだ。

　その理由は、トンネル工事で、湧き水は山梨県側に流れ、大井川水系に甚大な水不足の被害が生じる、というもの。この徹底抗戦がリニア強行に大きなブレーキとして働いている。

　知事の健闘を支援したい。

　リニアの愚行には、一般市民も気づいている。

「……貴著『リニア亡国論』拝読。わたしも以前より、リニア新幹線は『世紀の大愚行』と『宮崎日々新聞』（2013年11月3日付）に投稿。いまだに計画が進み、破壊が始まっていることに心を痛めています」（小川渉氏・宮崎県）
「誘導なし、乗客パニック、必至（必死）なり」「強行で、JR倒壊に、なるだろう」
「阻止すれば、後世の歓声、聞こえくる」（『リニア廃句』中嶋由美子氏・小平市）

中国時速500㎞超高速列車が〝一帯一路〟を爆走

2019年、中国の上海、寧波を訪問。その近代化ぶりに驚嘆した。いつのまにか新幹線網は3万キロを超え、日本の10倍を誇る。

さらに仰天したのが時速500㎞の超高速列車の存在だ。しかも、それは2011年11月26日、走行試験を成功させている。中国の刀をイメージしたデザインには圧倒される。約10年前に中国は時速500㎞の超弩級（どきゅう）列車を完成させていた……！

この事実を知る日本人は皆無だったのではないか。

なぜなら、日本のメディアは中国を貶（おとし）めることに躍起だ。子どもがビルの隙間にはまった。道路が陥没した。道にツバを吐く。マナーが悪い。ことさら、中国の悪いイメージを日本人に植え付けてきた。

他方、中国の進歩、発展は無視、黙殺である。そうしているうちに時速500㎞の超高速列車の登場である。日本人は、唖然呆然、ただ度肝を抜かれるだけだ。

わたしは、この時速500㎞高速列車の存在を知って、直感した。

習近平は、〝一帯一路〟の陸路にこの高速列車を走らせるつもりだな……。

彼の心中が手に取るようにわかる。おそらく、東は上海、北京を経て、ユーラシア大陸を横断して西のパリに至る壮大な構想を描いているはずだ。

速度はジェット旅客機の半分だが、快適性で勝る。つまり、21世紀の〝オリエント急行〟だ。

この壮大計画に待ったをかけたのがフランスだ。

フランスも最近、高速鉄道TGVの走行記録を公開した。

それは、なんと時速574・8㎞達成……!

フランスの腹づもりも明快だ。それは〝オリエント急行〟の共同運行だ。おそらく、中国は了承するはずだ。こうして東西は手を結ぶ。

ここで、大恥をかくのが日本のリニア中央新幹線だ。中国、フランスによって陸上列車で時速500㎞運行が可能であることが証明されてしまった。そして、のぞみ700系すら可能なのだ。

「じゃあ、リニアいらねぇじゃん！」

日本の若者ですら、呆れて笑うはずだ。いまだ、ＪＲ東海は南アルプスに莫大なカネを投じて穴を掘っている。まさに、ピエロである。馬鹿である。阿呆である。

これほど滑稽な姿はない。世界の物笑いのタネだ。

〝エアロトレイン〟建設費は新幹線並み、燃費3分の1

リニアに代わる代替案は二つある。

一つは「のぞみ」の超高速化だ。

二つ目は、さらなるエコ技術だ。

それが〝エアロトレイン〟である。

東北大学工学部・小濱泰昭(こはまやすあき)教授のグループが開発した。これは、その名のとおり飛行機の翼を縮めた浮上式高速トレインだ。航空力学の原理で地上1メートルに浮上し、時速500㎞で〝飛行〟する。

最高速度はリニアと同じ。こちらは「空力」で浮上し、あちらは「磁力」で浮上する。

決定的な違いは、建設費だ。

リニアは気の遠くなる青天井だ。

〝エアロトレイン〟は新幹線と同じ。さらに驚異的なのは電力消費量だ。

リニアは新幹線の40倍も電気を食う。専用原発が2基も必要という。

つまり、原発建設費も、さらにコストに上乗せされる。

〝エアロトレイン〟の電力は、なんと新幹線の3分の1……!

それは、「地面効果」という翼の揚力特性を利用しているからだ。

最小エネルギーで、最大効果を得ている。

さらに、そのエネルギー源は沿線の風力発電と太陽電池で十分に賄える。

同じ時速500㎞の高速トレインだが、勝敗はだれの目にも明らかだ。

しかし、自公政権もＪＲ東海も〝エアロトレイン〟を完全黙殺し、圧殺してきた。

そして、悪魔の超特急リニアには、3兆円

完全黙殺・圧殺されてきたエアロトレイン

もの血税を注いでいる。

国庫からの資金投入は、これから底無し沼となるだろう。

日本は出血多量となることは目に見えている。

これが、この国を衰退させる〝工作員〟たちの、真の狙いなのだ。

今なら、まだ傷は浅い。今のうちに、亡国リニアを止めなければならない。

まずは、『リニア亡国論』(前出)を手にしてほしい。武器にしてほしい。

「知る」ことこそ、「闘い」の第一歩だ。

「無知」は罪である。「知ろう」としないことは、さらに深い罪なのだ。

そして、まわりの人たちに知らせてほしい。

滅びに向かうこの国を救うために……。

第Ⅳ部

未来を救う希望のグリーン・テクノロジー

「創生水」水が燃える――石油文明は終焉に向かう

――開発者のたび重なる暗殺を乗り換え、ついに実用化！

石油王が絶対許さなかった近未来技術

「水が燃える……」

これは、石油文明では、絶対タブーであった。

地球は「水の惑星」である。その水が燃える！

なら、石油の出番はなくなる。もはや、石油は、〝黒い泥水〟に過ぎなくなる。

現代、石油の主産地は中東である。そこでは、石油を大変な努力で採掘し、精製し、巨大タンカーに荷積みして、はるか彼方（かなた）の消費国まで運んでいる。

延々、地球の裏側まで輸送し、それらの国々は、その石油エネルギー資源に依存している。
日本も、そのような消費国の一つである。
しかし――。
身の回りに無尽蔵（むじんぞう）にある〝水〟が燃える……。
なら、もはや、このような労力は無意味である。まさに、徒労となる。
わたしは、これまでにも〝燃える水〟に関心をもち続けてきた。
20世紀の地球を支配してきたのは石油王ディビッド・ロックフェラーである。
彼の別称は〝地球皇帝〟……。それは、地球の真の支配者、という意味である。
「水を燃やす」技術――。それは、まさに〝地球皇帝〟に弓を引く行為であった。
〝闇の皇帝〟は、水を燃やす技術の存在を、絶対に認めなかった。許さなかった。
しかし、その意向に真っ向から逆らった勇敢なチャレンジャーたちがいたのだ。

水エンジン開発者は公衆の面前で毒殺

スタンリー・マイヤーこそ、その勇者の一人である。

彼は痛快な発明家であった。まさに何事にも挑戦する、アメリカン・スピリッツの象徴的な男だった。

彼は「水が燃える」事実を発見した。それを応用した〝水エンジン〟まで発明した。

そして、水で走る自動車（WATER POWERED CAR）を製造し、その映像を公開している。

「80数リットルの〝水燃料〟で、走行可能だよ」と陽気な笑顔。

「水は水道水でも雪解け水でも、なんでもOK！　2000㎞のアメリカ大陸横断も可能さ」とニヤリ。

しかし、このナイスガイの笑顔が〝魔王〟の逆鱗に触れたようだ。

密かにヒットマンが放たれた。

マイヤーは、仲間と完成を祝うグラスで乾杯し、飲み干した瞬間、胸を押さえて苦悶した。苦しみの中でしぼり出した一言……。

「〝やつら〟にやられた」

それが、石油を支配する〝闇の勢力〟であることは、言うまでもない。

公衆の面前で、グラスの中身をあおって、悶絶死した。誰が見ても毒殺である。

しかし、地元警察は、それを心臓マヒで処理した。

〝闇の力〟にとって、警察の検死など自由自在なのである。

マイヤーの〝処刑〟は、まさに世間への警告と見せしめである。

「水が燃える」事実に触れる者は、許さない……。

しかし、真実を求める探求者は、後に続く。

倉田大嗣（くらたたいし）氏も、その一人だ。彼こそは日本が世界に誇るべき研究者であり発明家だ。

わたしは、電話でその誠実な声に接したこともある。著書『水を燃やす技術』（2008年、三和書籍）には、具体的な原理とノウハウが詳述されている。

倉田氏は電話でこう語っていた。

「水に重油をわずか1割加えただけでも、水は燃えるのです」

わたしは、電話機を握って、「マサカ……」と、絶句するのみだった。

「水が燃える」事実を発見した
スタンリー・マイヤー

水で走る自動車「ウォーター・パワード・カー」

周波数926キロヘルツで水素と酸素に分解

倉田氏は、「水が燃える」原理を著書で、懇切に解説している。

「……水は、酸素と水素が『共有結合』によって、結び付いている物質である。その『共有結合』の電子が、共鳴するような周波数の電磁波を当てると、ほんの少しのエネルギーで、水素と酸素に分解する。その混合気体を燃やすと、電磁波発生に要した何倍ものエネルギーを得ることができる」

つまり――。

――特定周波数さえ当てれば、誰でも水からエネルギーを得られる――

倉田氏は、その周波数の一つが926kHz（キロヘルツ）であることも、証明している。共鳴作用さえ起こせればよい。だから、整数倍または整数分の一の周波数でも、起こすことは可能という。

この共鳴現象を起こす電磁波は発生させるエネルギーは極小でよい。その共鳴で水は水素と酸素に、簡単に分離される。

共鳴現象はニュートン力学を超えた現象である。

分かりやすい例をあげる。オペラ劇場で女性が熱唱する。すると、遠く離れたワイングラスが、突然、割れた！

これは、ニュートン力学では説明できない。

ソプラノの波長とグラスの固有振動数が共鳴し、グラスは破壊されたのだ。

このように共鳴現象は、投入エネルギーより、はるかに大きな出力エネルギーを生み出す。

水分解に用いられるのが磁気波動の共鳴現象だ。

「これを突き詰めていくと、従来のエネルギーの数千分の一というわずかなエネルギーで、物質の分解が可能になる」（倉田氏）

それは、かのアインシュタインも見逃した磁気力と共鳴力の神秘である。

この事実に着目したのが天才物理学者ニコラ・テスラであった。

これこそフリーエネルギー原理そのものなのだ。

この水分解装置は、必要な周波数で電圧が変化し、特定電磁波を発生させるだけでよい。じつに簡単に「水素燃焼装置」は完成する！

実際に、この原理で手作り装置を完成された人もいる。

それは、1個20円のICチップ。1個20円のオペアンプ（増幅器）、1個1～20円程度の抵抗、コンデンサーなどを組み合わせ、電源はアルカリ電池2～4個。

信じられないほど、あっけない装置である。

この装置を作成したNさんは、こう述べている。

「……水が100℃で沸騰するのと同じような物理的な事実として、『水は××ヘルツの電磁波で燃料になる』と世界中に広めることで、支配構造の前提は崩壊し、（〝闇の勢力〟が企む）『新世界秩序（NWO）』の構造は永久に不可能となります」

キャンプ・台所用から巨大発電所まで

「……水（H_2O）は、約104度の角度で『共有結合』しています。同時に、このHは、近くの、他の水分子と『水素結合』によって、おだやかにつながっています。このことが、水のさまざまな特徴を作り上げているのです」（倉田氏）
なにはともあれ、「水を燃やす」装置が、じつに簡単にできることに、あなたは驚かれたはずだ。実際、倉田氏が作成した「実験装置」は、バッグに入れて持ち運びできた、という。
「それだけ手軽な装置で水を燃やせる、ということは、実用プラントになってもお金がかからず、それだけ安全で、なおかつ経済的ということです」（倉田氏）

倉田氏の作成した「水素燃焼実験装置」では、入力の４・６倍の熱出力が得られた！　バッグに入れて持ち運べる機器なら「キャンプ用」「災害用」「台所用」まで応用可能である。巨大化すれば「水素燃焼」による発電所を建設すればよい。

燃料は〝水〟だから、まさに無尽蔵にある……！

スタンリー・マイヤーも倉田氏も、まったく別のアプローチから「水が燃える！」という真理に到達している。

その他、さまざまな研究者たちが、その謎に挑んでいる。そして、〝燃える水〟に到達しているのだ。

〝オオマサ・ガス〟もその成功例だ。

大政龍晋（おおまさりゅうしん）氏。名古屋工業大学大学院で工学博士の学位を取得。世界初の「振動攪拌（かくはん）器」の発明により科学技術長官賞を受賞。さらに、１５０件もの特許を所有する屈指の発明王である。

現在は、日本テクノ株式会社の社長を務める。

彼は、さまざまな発明人生の果てに、ついに〝燃える水〟の生成に到達した。

それが〝オオマサ・ガス〟である。その詳細は、著書『地球を変える男』（ＪＤＣ出版）に詳しい。

その発想は……「水に振動を与えながら〝燃える〟酸水素ガスを取り出す」というもの。やはり、水を分解する要素は振動（波動）だった！

こうして、水から発生した可燃気体〝オオマサ・ガス〟は、燃やしてもCO_2排出ゼロだった。

大政氏は、その装置の国際特許を取得。謳（うた）い文句は「水から生まれた究極の新エネルギー」「水から生まれ水にもどる」。

「プロパンガスとの混合ガスで、自動車や発電機の燃料となる」「混合比率は10～60％で燃焼する」（同書）

すでに、混合燃料で自動車の走行試験も成功している。

また、二酸化炭素に〝オオマサ・ガス〟を

テレビのインタビューに答える大政龍晋氏

混合すると……燃えた！

二酸化炭素すら燃やすことが可能なのだ。

公表前に関係者の一人が刺殺された

陽気な発明王スタンリー・マイヤーは公然と毒殺された。

この事実を知って、わたしは倉田氏の身の上を案じた。不安は的中した。

倉田氏は、忽然（こつぜん）と姿を消していた。

危険を感じて、身を潜（ひそ）めているのか？

あるいは、〝闇の勢力〟に消されたのか？

それは、わからない。しかし、希代の発明家は、杳（よう）として行方不明なのだ。

水が燃える原理を理論的に解明し、実証した彼こそ、世界に誇るべき傑物である。

ノーベル賞が真に優れた偉人らに授与されるものなら、倉田大嗣氏こそ、まさに最適である。しかし、彼の功績を知る人こそ、彼の身の上を心から案じているのだ。

大政氏も、次のような忠告を耳打ちされている。

「アンタ、気をつけな、あきまへんで。『水が燃える』なんちゅうこつ言うたら、殺されまっせ」

大政氏がメディアに登場することは、ピタリとやんだ。

燃える水——にかかわる人々は、こうして、次々に姿を消している。

さらに、衝撃的な事実を知った。

「……〝水が燃える〟ことを実証したので、全日空ホテルを借り切る大々的なお披露目のシンポジウムを企画したら、直前に、身内の関係者が自宅前で3人組の男に襲われ、刺し殺されたんです」

淡々と語るのは深井利春氏。彼は、長野県上田市にある創生ワールド株式会社の代表取締役。

2018年10月、上田市の同社を訪ねたときに聞いた衝撃事実だ。

深井氏たちは、この刺殺事件に危険を察知し、急遽、公開シンポジウムは中止した、という。

スタンリー・マイヤーと同じ悲劇が、日本でも起こっていたのだ……。

しかし、目の前で深井氏は、何事もなかったかのように語り続ける。

わたしが主宰する「塾」の塾生たちと同社を訪問し、会議室で深井氏の講義に耳をかたむけた。

そこには、「燃える水」という一つの夢に邁進（まいしん）する男の姿があった。

開発に携わった仲間の一人が玄関前で、刺殺された……。それだけでも、恐怖に震えて当然である。

しかし、目の前の彼は表情も変えず、どっしりとしている。

その胆力には感嘆した。

彼が独自に研究開発の末に到達した「燃える水」――それが「創生水」である。

燃える水「創生水」は生活も活性化する

その開発の経緯は、深井氏の著書『水がエネルギーになる日。』（ダイヤモンド社）に詳しい。

「創生水」は、〝燃える水〟にとどまらない。

「アトピー皮膚炎を改善」「台所や浴室から洗剤が消える」「酸化した身体を還元させる」「活性水素反応が腸内環境を整える」さらに「精子の数が増える」（同書より）。

つまり、「創生水」は「エネルギー燃料」だけでなく「生命活性水」でもあった。

ここまで聞いても、マユツバと思う人もいるだろう。

しかし、スタンリー・マイヤーの水エンジン車、倉田氏の水燃焼理論、〝オオマサ・ガス〟の成功を知れば、「創生水」が〝燃える〟理屈は、容易に理解できるはずだ。

さらに、水が〝燃える〟ということは、普通の水にくらべて、極めて活性が高い、ということだ。

水の活性度とは何だろう？

それは、水がもつ潜在エネルギーだ。

物理的には酸化還元電位という値で表す。

水分子は、お互いにゆるやかに他の分子と「水素結合」している。

それを〝クラスター〟と呼ぶ。水分子の酸化還元電位の数値が少ないほど活性度が高い。そして、「創生水」は、その活性度が極めて高い。

深井氏は言う。「すべての答えは渓流にあった」

「……水は石にぶつかり、砂利に触れながら、滝になり、おいしい水になる。汚れていた水でも流れや川の浄化作用で生き返るのだ」

彼は正直に語る。

「『創生水』のつくり方は、自然の法則にしたがっただけである」

イオン交換器、黒曜石、トルマリンで完成！

奇跡の水――。

「創生水」は、次のようにして生まれる。

原水は、水道水である。

第一工程は「イオン交換器」で、硬度成分を吸着・除去し、軟水に変える。

第二は「黒曜石（こくようせき）」を使い還元水をつくる。この石はマイナス電子、微弱エネルギーをもつ。そこに5気圧に水圧を高めた水を通過させる。このとき、回転させて渦を生じるようにする。すると、酸化還元電位で、マイナス380mVという大幅な活性化が確認された。この活性水素により、水道水に含まれる塩素も不活性化される。

第三は、還元水を「トルマリン」（電気石）に通過させる。ペレット状態に固めた筒に竜巻の原理で通過させる。すると、そこにヒドロキシイオン（H_3O_2）が生成される。

「……1997年、米国ペンシルベニア大学教授のマーク・タッカーマン博士とマイケル・L・クライン博士の共同研究によって、今まで考えられなかったH_3O_2マイナスという水素と酸素原子の結び付きが証明された。その結果は科学雑誌『サイエンス』で発表された」（『水がエネルギーになる日。』前出）

このイオン分子は、界面活性作用を発揮する。

だから、「創生水」は、洗剤なしで、汚れを落とす。この「創生水」生成装置は、多くの世界特許を取得している。

「創生水」の特徴は、洗剤いらずで、汚れが落ちるだけではない。

それどころか、「創生水」は〝燃える水〟として驚嘆性能を示したのだ。

まず――、「創生水」を「油燃料」に加えると……燃えた！

「油」50％＋「創生水」50％で燃える！

「水と油が混じり合って新しい燃料ができるなら、エネルギー消費量も減らすことができる」と深井氏は、考えた。

２００７年、上田本社の実験「炉」で、それは証明された。

「創生水」と「油燃料」は見事に混ざり合い、激しく炎をあげて燃えた。

それを彼は〝ＦＵＫＡＩグリーンエマルジョン燃料〟と名付けた。

重油、軽油、灯油、各々50％に「創生水」50％を混合したら、2倍前後の燃焼エネルギーが得られたのだ。

さらに、発生するCO_2は、重油マイナス49％、軽油マイナス10％、灯油マイナス31％もの削減効果があった。ちなみに窒素酸化物（NO_X）の削減効果は驚異的だ。

重油マイナス74％、軽油マイナス76％、灯油マイナス85％……。

つまり、石油燃料を、そのまま燃やすより「創生水」と混合燃料（エマルジョン）にして燃やす。

すると、エネルギーは約2倍取れ、排ガス汚染は激減する。

これは驚異のエネルギー革命と同時に、驚嘆の環境浄化となる。

この画期的な成功を、世界的メディア『ＴＩＭＥ』誌（２０１０年9月号）が報道した。タイトルは「東洋から生まれた次世代エネルギー！」「水が変わればすべてが変わる〝創生水〟」。

２００９年、国の認定検査機関である株式会社信濃公害研究所が、「創生水」を徹底分析し、その結論を出した。「創生水」から出る気体成分は水素98％、酸素０・４％という結果だった。

つまり、4リットルの「創生水」から10リットルの水素ガスを抽出したのだ。

油性燃料に「創生水」を加える。

すると、これら水素なども同時に燃える。

こうして、燃える水は、確実にエネルギー革命を起こすことが証明された。

少なくとも、石油燃料の半分は、「水」に置き換えることができる。

深井氏は、この「水燃料」を「創生フューエルウォーター」（ＳＦＷ）と命名した。

すでに漁船や自動車に搭載し実用化

そして、驚くなかれ、すでにマレーシアでは、SFWと軽油を使ったディーゼルエンジンが実用化されている。それは漁船に搭載され、今日もなんのトラブルもなく航行しているのだ。

そのシステム図を見ると「SFWタンク」と「オイルタンク」がある。混合比率を変えて、SFWのみでも、エンジンは稼働することがわかる。

「……2015年11月21日現在、操業においてエンジン利用時間の約9割以上をSFWモードで使用。引網（ひきあみ）走行及び網の上げ下げなど、問題なく使用中との報告をもらっている」（深井氏）

同じことは、自動車業界にとっても福音だ。

すでに、中国のメーカーが、〝燃える水〟に着目している。

同国のアオイエコー社は、自動車走行テストを成功させている。こうして上海では、SFWエンジンを搭載した自動車が実用化されているのだ。

長野・上田の創生ワールド本社の敷地には、何台もの自動車が駐車していた。

「これらは、ガソリンタンクに『創生水』を半分以上加えても走るんですよ」と、案内の社員は笑って指し示す。

「普通だったらタンクに水を入れたらエンストしますけどね」

深井氏は、自信をこめて断言する。

「……わたしは、水が燃料、むしろ化石燃料のほうが添加剤だと思っている。化石燃料に代わるエネルギーは、これからの時代、『水』しかないのである。それもＳＦＷだけである」

２０１６年8月28日から6日間、スウェーデンのストックホルムで「国際水会議」が開催された。そこに、出展した「創生水（ＳＦＷ）」は熱い注目と称賛を浴びた。

わたしは、深井氏の著作、ならびに不屈の努力で到達した現実を直視し、もはや、〝燃える水〟は誰にも止められない、と確信した。

その思いを強くした理由の一つが魔王の死である。言うまでもなく石油大魔王デイビッド・ロックフェラー。２０１７年3月、１０１歳で、別名〝地球皇帝〟は、この世を去った。もはや、恐れるものは何もない。

米海軍の原子力空母は、すでに、艦内施設のあらゆるエネルギー源に、〝水燃料〟を使用している、という。

2年ほど前に、米軍当局は公表している、という情報を得た。間違いないはずだ。

マイヤーや倉田氏、さらには深井氏の不屈の奮闘が、世界から称賛される日は、近い……。

燃える水は、新たなる人類文明を築いていくことだろう。

水は「記憶」「転写」する――ノーベル賞学者、衝撃の実験結果

――顔面蒼白！・ホメオパシー中傷派の殺人医学界と走狗マスコミ

水の解明でノーベル賞10個は取れる⁉

水は、我々のまわりにあふれている。

地球は、別名、〝水の惑星〟と呼ばれている。

だから、我々は、その存在を当然のものとして、暮らしている。

しかし、科学者に言わせると「水ほど不可思議な存在はない」。

それは、あらゆる物理法則を、いとも簡単に裏切ってみせる。

たとえばその他の物質は、低温になり液体から固体に変わるとき、その体積は縮小する。しかし、水は逆に体積が増える。凍った水が、瓶のフタを押し上げて凍結する。そ

んな光景は、当たり前のように目にする。

ある学者は、こう言った。

「……水の正体を解明したら、ノーベル賞が10個は取れるだろう」

またある学者は、こう警告した。

「……けっして、水の研究はやらないがいい」

なぜか？

「一生を棒に振りかねないからナ……」

つまり、「水の研究に没頭すると、その迷宮、迷路に迷い込み、一生抜け出せなくなる」という戒（いまし）めである。

それほど、水は不可解な存在なのだ。

朝日新聞のホメオパシー攻撃キャンペーン

水をめぐって近年、ある論争が注目された。

それは、自然療法の一種、ホメオパシーを巡る論議である。

その攻撃の急先鋒（きゅうせんぽう）となったのが朝日新聞である。

そのアンチ・キャンペーンは執拗をきわめた。つまり、ホメオパシーなる療法は、根本理論からしてインチキ、という攻撃である。

「その〝効果〟とは、プラシーボ効果にすぎない」（同紙）

プラシーボとは、〝偽薬〟という意味だ。医薬品の効能判定で、用いられる。

被験者の一方のグループに投与する。

〝偽薬〟でも、本人がクスリだと信じて飲むと、一定の〝効能〟が現れることがある。

これがプラシーボ効果である。

たとえば、ただのウドン粉でも〝偽薬〟として与えると、一定の〝効果〟が観察される。効くと信じた暗示効果である。

つまり、朝日新聞など、ホメオパシー攻撃派は、ホメオパシーを〝ウドン粉〟なみの暗示効果しかない、と執拗に攻撃したのであった。

さて――。

ここで、ホメオパシーと聞いても、初耳の人も多いだろう。

まずは、その語源ともなったホメオスタシスの説明が必要となる。

これは「生体恒常性維持機能」と訳される。

読んで字のごとく、「生体」の根本的特質を表す表現である。「生体」と「物体」のちがいは、なんだろう？

最大のちがいは、「生体」には、常にみずからの「状態」を「正常」に保とうとする働きがある。

たとえば、人体は体温（約36・5℃）を常に正常値に保とうとする。

炎天の夏は、ダラダラ汗が流れる。それは、汗の気化熱で体温を冷まそうとしているのだ。

逆に酷寒の冬は、ガタガタ体が震える。それは、体を小刻みに運動させることで体温を上昇させようとしているのだ。

これらは、まったく自覚や意識とは関係なく、体が自発的に行っている。

これがホメオスタシス「生体恒常性維持機能」である。

これは、病気のときにも発揮される。

たとえば風邪を引いたとき、発熱する。

それは、体温を上げて病原菌やウイルスを弱らせ、殺すためである。さらに免疫力を上げるためだ。

また、くしゃみや咳が出る。それも、病原体の毒素を体外に排泄するためだ。下痢も同じく病原菌などの毒素を排泄する。

このように、風邪を引いたときに起こる発熱、咳、下痢……などの「症状」は、風邪という「病気」が治るための「治癒(ちゆ)反応」である。
これら、「症状」を起こすのが、ホメオスタシスである。
それこそが「自然治癒力」の正体そのものである。

ホメオスタシス「生体恒常性維持機能」を否定した〝医学の父〟

近代医学の開祖ともいわれる人物がいる。
それが、ルドルフ・ウィルヒョウ（ベルリン大学学長）である。
この男は別称〝医学の父〟として近代から現代まで医学の中枢に君臨してきた。

自然治癒力を否定した
〝医学の父〟ルドルフ・ウィルヒョウ

彼は、徹底した「生命機械論者」であった。

「生体も物体にすぎない。たんなるモノに自ら治る神秘的な力などは存在しない。病気や怪我を治すのは、我々医者であり、医薬であり、医術である」と言い放った。

この〝医学の父〟は、生体に備わる自然治癒力を、真っ向から否定してのけたのである。

あなたは、包丁で手を切ったことがあるはずだ。その指の傷は、1週間もすれば、あとかたもないほどに消え失せている。

いったい、だれが治したのか？

それは、自然治癒力のなせるワザである。

その根幹には、ホメオスタシス「生体恒常性維持機能」という生命の根本原理が働いている。

つまり、〝医学の父〟は、その生命根幹理論を真っ向から否定してのけたのだ。

早く言えば、狂人である。

命の根本を否定したのだから、狂っている。

ところが、近代医療利権を完全支配したロックフェラーは、この狂人に〝医学の父〟の称号を恭しく捧げたのだ。人類を闇から支配する国際秘密結社イルミナティの頭目だから、造作もないことだ。

以来、世界の医学教育の中枢に狂人ウィルヒョウ理論が鎮座したまま、現代に至る。

こうして、狂人学者の妄想は、現代医学の中枢理論（セントラル・ドグマ）と化している。それは、世界の医学生や学者を、根底から〝洗脳〟し続けている。

まさに、現代医学は、その出自からして悪魔に魅入（みい）られているのだ。

だから、現在でも世界中の大学の医学部で「自然治癒力」講座はまったく存在しない。

医学教育（狂育）で、生命の根本原理ホメオスタシスを教えることは、完全タブーなのだ。

9割の医療が無くなれば人類は健康になれる

生命の根本原理を教えない、学ばない医学が、患者を救えるわけがない。

だから、アメリカの良心の医師ロバート・メンデルソン博士は、こう嘆いたのである。

「現代医学の神は〝死神〟であり、病院は〝死の教会〟である」

博士の告発の書『こうして医者は嘘をつく』（三五館）は、すべての患者にとって必読の書である。

そこには、現代医学の悪魔性が、赤裸々に告発されている。

現代医学は、薬物療法に完全支配されてきた。

医者たちは、風邪という病気で現れる「発熱」「咳」「下痢」などの「症状」を、各々、個別の病気と誤解し、「解熱剤」「咳止め」「下痢止め」などの薬剤を投与してきた。これが、対症療法である。

つまり、「治癒反応」を「病気」と誤認してきた。

そして、各々の「治癒反応」を妨害する医薬を投与してきたのだ。

下の図は、病気が治る仕組みを「振り子」を使って図示したものだ。

わたしは、それを「命の振り子」と命名している。「振り子」を下に引っ張る「引力」が自然治癒力である。

振り子を止めるクスリはいらない

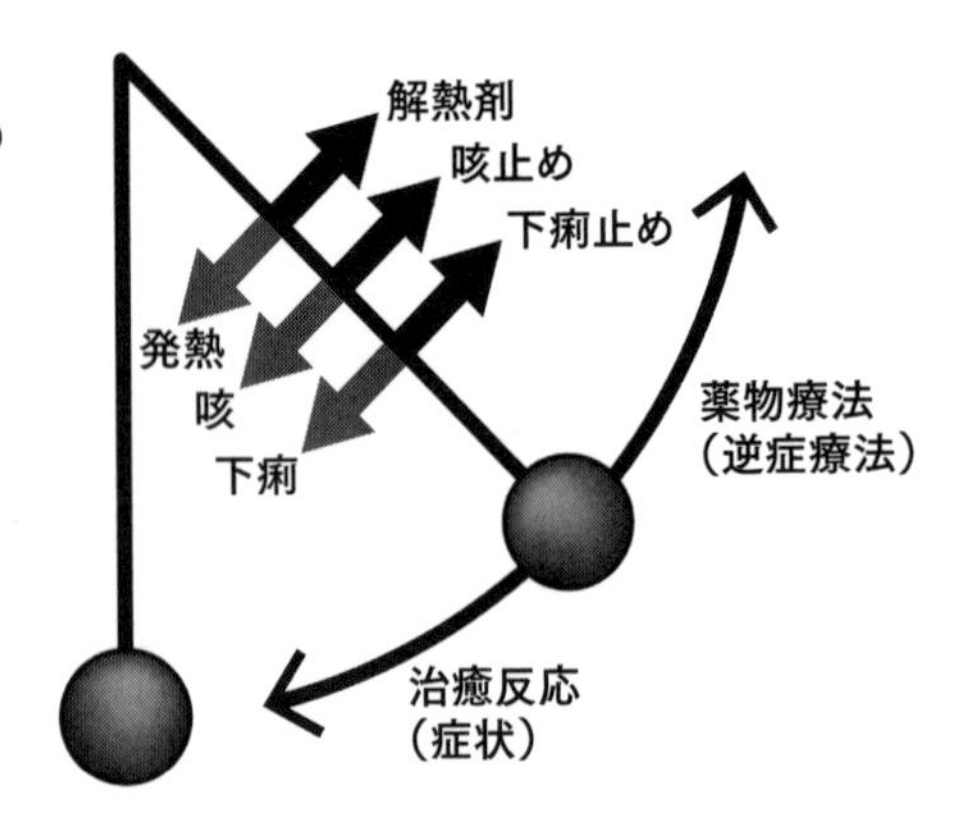

「発熱」「咳」「下痢」などの「症状」も「治癒反応」として、自然治癒を加速する。

しかし、薬物療法による対症療法は、これら「治癒反応」を逆向きに打ち消している。

だから、それは別名〝逆症療法〟ともいわれる。

治癒反応を阻害されたため「振り子」は傾いたまま固定されてしまう。

つまり、「病気」は治らず「慢性化」する。さらに「悪性化」し、最悪、患者を死亡させる。まさに、患者は、〝死の教会〟で〝死神〟の餌食となるのだ。

メンデルソン医師は、こう断言している。

「……9割の医療が地球上から消え失せれば、人類は間違いなく健康になれる」

アメリカの良心の医師、
ロバート・メンデルソン

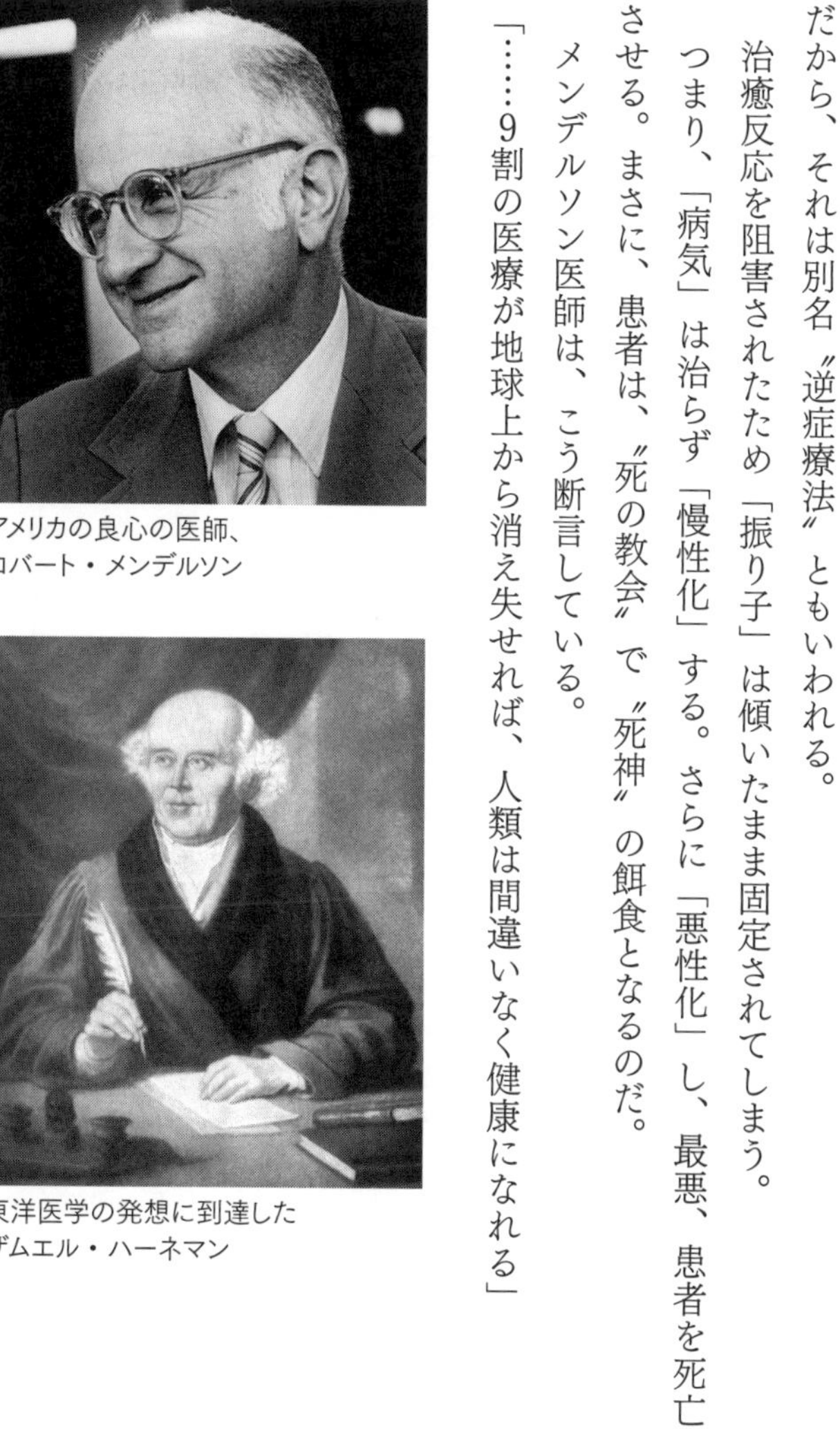

東洋医学の発想に到達した
ザムエル・ハーネマン

独ハーネマン医師、ホメオパシーを提唱

ところが――。

このホメオスタシス（自然治癒力）の機能に着目した一人の医師がいる。

それが、18世紀、ドイツの医師ザムエル・ハーネマンである。

彼は、薬物療法が、患者の自然治癒力を阻害し回復を妨げていることに気づいた。

さらに、病気のときに現れる「症状」こそが「治癒反応」であることに着目した。

たとえば、「発熱」という「症状」は、病気を回復させるための「治癒反応」である。

それまでの薬物療法は、解熱剤で「熱」を止めることに躍起になっていた。

しかし、ハーネマンは、「熱」を止めるより「熱」を出させる。そのほうが、「病気」はすみやかに完治することを発見した。

つまり、治癒反応である「症状」を止めるのではなく、加速する。

「命の振り子」を逆向きに押し返すのではなく、下向きに加速してやる。

つまり、引力（自然治癒力）の手助けである。

これは、まさにコペルニクス的発想の転換といえる。

しかし、西洋医学では、天地がひっくり返るほどの発想だが、東洋医学では、当たり

前の着想である。

漢方医は、発熱には、さらに熱を出す漢方薬を処方し、汗と熱と毒素を出しきらせる。

なぜなら、東洋医学では「万病の原因は〝体毒〟」が根本原理だからだ。

ハーネマンは、まさに西洋医学者でありながら、この東洋医学の発想に到達した。

だから、わたしはホメオパシーを「西洋の漢方」と呼んでいる。

ハーネマンが到達した理論は、以下のとおり。

「病気を起こす同種の〝物質〟を用いて、病気を〝治癒〟させる」

よって、ホメオパシーは同種療法とも呼ばれる。

その原理は、「命の振り子」を見れば、すぐに理解できるだろう。

「存在しない物質」に効能があるはずない!?

1796年、ハーネマンは、この独自の治療法を確立し、実践した。

同種療法の根本原理は――病気の原因物質は、病気の治療物質となる――。

病気を引き起こすのは、一般的に〝毒物〟である。つまり、その同じ〝毒〟を用いて、病気を治す。まさに「〝毒〟をもって、〝毒〟を制す」！

ハーネマンは、これら〝毒物〟を、植物や動物だけでなく鉱物まで探索した。

これこそ、まさに漢方薬の発想である。

わたしが、ホメオパシーを「西洋の漢方」と呼ぶゆえんだ。

ホメオパシーでは、これら〝毒物（薬物）〟をレメディと呼ぶ。ちなみに、ホメオパシー施術を行う専門医師はホメオパスと呼ばれる。

ただし、これらレメディを直接患者に投与するわけではない。

ここからが、まさに議論を呼ぶところなのだ。

たとえば、熱病に苦しむ患者を治療するとき、発熱原因となる〝毒物（レメディ）〟を用いる。そのとき水で100分の1に希釈し試験管を強く振る（振とう手法）。

さらに、100分の1に希釈し、同じ行為をくりかえす。これを、何度かくりかえす。

すると、〝物質〟自体は、ほとんど存在しなくなる。

その溶液を患者に投与して、治療する……。

これが、ホメオパシー治療システムである。

ここまで、読んでもキツネにつままれたような思いがするだろう。

100分の1の希釈を何度もくりかえせば、薬効成分の存在もほとんどゼロとなる。

「存在しない物質が、効能を発揮するはずはない！」

これが、ホメオパシー批判の根拠だ。

これに対して、ホメオパシー側は、こう回答してきた。

「……原理は不明だが、希釈液を『振とう』することで、物質の『情報』が、水に『転写』『記憶』され、それにより患者は治癒している」

この答えに、反対派は、腹を抱えてあざ笑い、冷笑した。

「水が情報を『記憶』『転写』？　……世迷いごともいい加減にしろ！」

代替医療の四流派は徹底弾圧された

近代から現代にかけて世界の医療利権は、ロックフェラー財閥が一手に完全支配してきた。〝石油王〟が石油の次に掌握したのが〝医療利権〟である。

数万トン単位で採掘した石油を、数ミリグラム単位の超高価な医薬品に化けさせる。

まさに、現代の錬金術……。

そのため、〝かれら〟は狂気の学者ウィルヒョウを〝医学の父〟に祭り上げたのだ。

18世紀末、欧州には五つの医学流派が共存していた。

それが――、①ナチュロパシー（自然療法）、②サイコパシー（心理療法）、③オステオパシー（整体療法）、④ホメオパシー（同種療法）、⑤アロパシー（薬物療法）である。

〝闇の支配者〟ロックフェラーにとって、⑤アロパシー（薬物療法）以外は、すべて邪魔者でしかなかった。

そこで、〝かれら〟は、政治力やメディアを総動員して、①から⑤までの代替医療を徹底的に攻撃、弾圧、排除した。

たとえば、自然療法の主流は食事療法である。

「食事で治せない病気は、医者もこれを治せない」と、古代ギリシャ医聖ヒポクラテスも喝破している。

なのに、食事療法などでガンを治した医師、治療師たち数百人もが暗殺されている……という。

医療マフィアによる弾圧、圧殺の憂き目に遭ったのは、ホメオパシーだけではなかった。これら、①から⑤までの代替医療は、すべて、自然治癒力を生かす医療であった。

ヒポクラテスは「人間は生まれながらに体内に100人の名医がいる。現場の医師は、これら名医の手助けをするのみ。けっして邪魔をしてはならない」と戒めている。

つまり、これら医学こそが医療の王道であり、薬物療法は邪道なのだ。

ロックフェラー主治医はホメオパス！

ホメオパシーへの既成医学利権からの攻撃、誹謗中傷も過酷を極めた。

「非科学」「迷信」「オカルト」……と、すさまじい攻撃が加えられてきた。

受け身に立ったホメオパシー側は、こう反論してきた。

「……なるほど、水にレメディの効能が転写、記憶されるメカニズムは不明だ。しかし、現に極めて高率で患者は治癒している。これこそが、有効性の証明である」（下のグラフ。日本ホメオパシー医学協会提供）

これは、アメリカ国内でスペイン風邪が流行したときの死亡率の比較。ホメオパシー治療を受けた患者の死亡率は1・05％。これに対して、アロパシー（薬物療法）を受けた患者は死亡率28・2％にも達している。

その差はなんと28倍……！

つまり、これはホメオパシーは薬物療法よ

高確率で患者は治癒、ホメオパシー有効性の証明

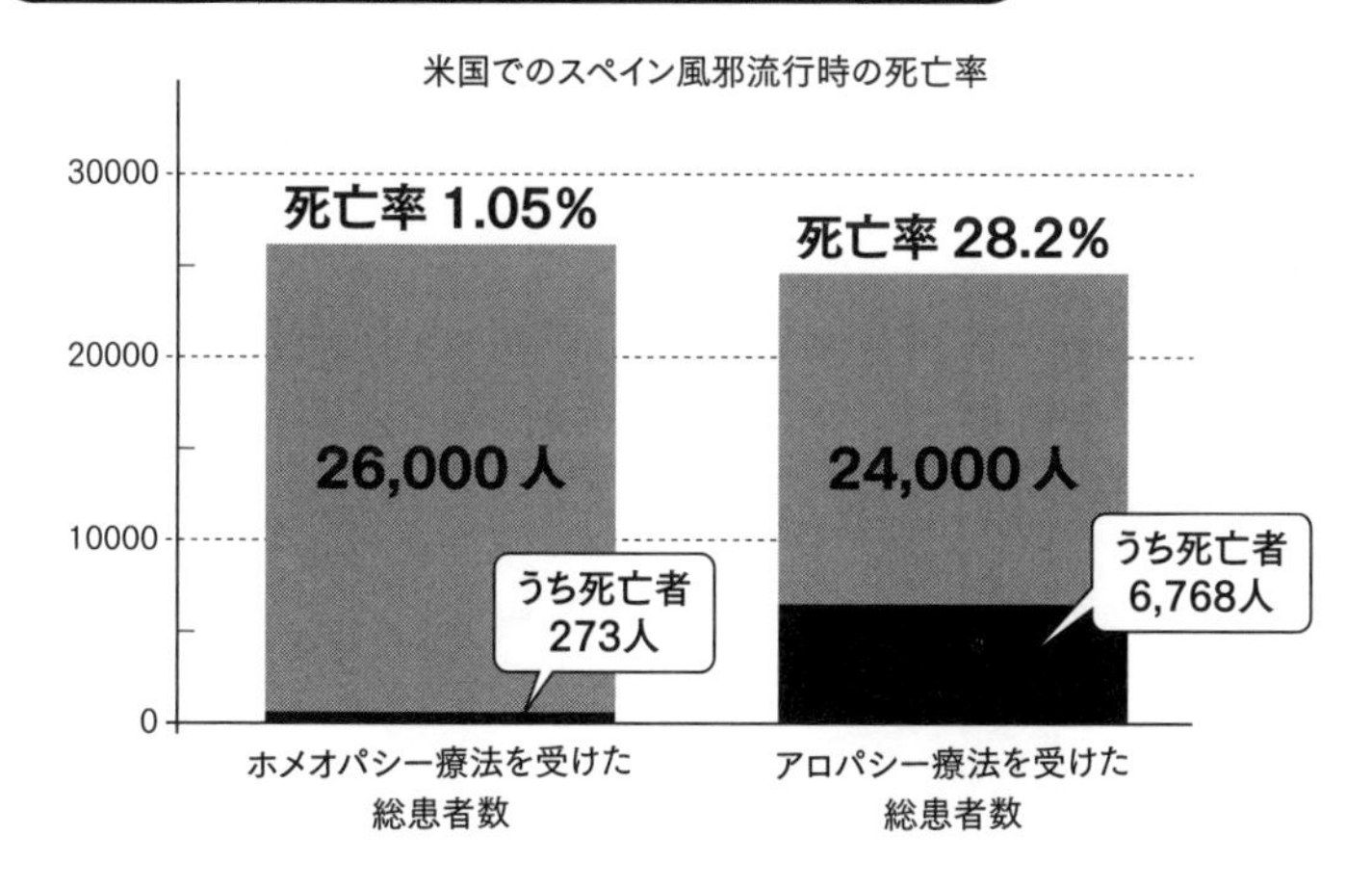

り、これだけ患者を救う――という決定的証明である。

既成の薬物療法と比較して、その治癒率は目を見張る。

他方で、「9割の現代医学は、患者を治すどころか悪化させ、死なせている」（メンデルソン医師）

この冷厳な事実を認めていたのが、なんとロックフェラー一族である。

過去約2世紀にわたって地球の医療利権を独占してきた〝かれら〟は、現代医学をまったく信用していなかった。

その典型がディビッド・ロックフェラーである。

彼の別名は20世紀の〝地球皇帝〟――その絶対権力者が、現代医学の医者を一人も近づけさせなかった。

なんと、彼の主治医は、ホメオパスであった……！

そして、一族は、医薬品もいっさい受け付けず、病気をホメオパシーで治していたのだ。こうしてディビッドは２０１７年、１０１歳の長寿をまっとうした。

同じことは、イギリス王室のエリザベス女王など、世界のセレブたちにもいえる。

女王は91歳の高齢とは思えぬ若々しさである。

それも現代医学の医者を近づけず、クスリも飲まないからである。

〝かれら〟は、とっくの昔に、現代医学の医薬品は、人類という家畜（ゴイム）の屠殺用であり、医師は病院という、有料〝人間屠殺場〟の職員にすぎないことを知っている。だから、スポーツやハリウッドのセレブたちも、ホメオパス以外には、かからない。英国サッカー界のヒーロー、デイビッド・ベッカムがまさにそうだ。また、元陸上短距離選手のウサイン・ボルトの主治医は、世界トップレベルのホメオパス医師である。

水は情報を「記憶」「学習」する！

そして――。

ホメオパシー療法で長寿のエリザベス女王

デイビッド・ベッカムもホメオパシーの心酔者

ついに、ホメオパシーを「オカルトだ！」「迷信だ！」と、口撃してきた連中が絶句する瞬間がやってきた。

「ホメオパシー、水科学が立証――未来医学へ期待高まる！」

これは『環境農業新聞』（2019年1月15日付）の一面大見出し。

それは、「日本ホメオパシー医学協会」（JPHMA）総会リポート。約1150名が参加した会場での、由井寅子・名誉会長の発表は衝撃的だ。

由井氏はロンドンで開催された「英国王立医学アカデミー」にVIPとして招待されたのだ。その国際セミナー「水科学・新しい展望――ホメオパシーの証拠」に列席。そこで、刮目（かつもく）的な講演が行われた。

演題は「水は命を生み出し、情報を記憶する」。

演壇に立ったのは、ノーベル物理学賞を受賞したブライアン・ジョセフソン博士（ケンブリッジ大学名誉教授）。

同教授はサイマスコープという最先端機器を用いて水のふるまいを観察した。

その結果、「音楽や映像などの波動刺激で、水が特殊な構造体を生み出す」ことを証明している。

つまり、水はこれら「情報」を「記憶」し、新たな「構造」を作り出している！

さらに「音（音波）が作り出す水の構造が、完全型になるまでの時間を計測すると、不思議なことに回数を重ねることに短くなっている」映像を紹介した。

ブライアン教授は、感嘆し、断言する。

「――水が『経験』（情報）を蓄えているのです！」

まるで、水に「知性」があるとしか、思えない。

「――つまり、水は『どうしたらすばやく、もっとも安定した形態に到達できるのか？』を『学習』しているのです」（同教授）

ノーベル物理学賞を受賞した世界トップレベルの学者が、水に〝知性〟が存在する真

英国王立医学アカデミーに招待された
日本ホメオパシー医学協会・
由井寅子名誉会長

ノーベル物理学賞・ジョセフソン博士
の主張は「水は命を生み出し、情報
を記憶する」

実に驚愕しているのだ。

隣の試験管に98％精度で「転写」された！

さらに、続いて演壇に立ったのは、同じくノーベル生理学・医学賞を受賞したリュック・モンタニエ博士。彼が行った実験結果は、さらに衝撃的だ。

「――博士は、電磁信号を発生するエイズウィルスのＤＮＡ断片（１０４塩基対）が入った試験管のそばに、純水が入っただけのもう一つの試験管を配置した」（『環境農業新聞』前出）

つまり、実験台の上には、ウイルスＤＮＡ入りの試験管と、まったく水だけの試験管二つが並んで置かれたのである。

こうして18時間が経過した。

博士は、衝撃を受ける。

「――純水の入った試験管からも同様の電磁信号が検出されていることを発見した！」

つまり、ウイルスＤＮＡ情報は、隣の試験管の水に「転写」されていた！

その「情報」は98％もの高精度で「転写」されていた！

「……この電磁信号を発症する純水に、ＤＮＡを合成するのに必要な4種類のヌクレオチドを入れたところ、ＤＮＡが出現した。しかも、そのＤＮＡは、もとのＤＮＡと同じ１０４個のヌクレオチド鎖から形成されており、ヌクレオチド配列も2個しか違いがなく、98％の確率で一致していた」（同紙）

これは、いったいどう解釈したらいいのだろう？

モンタニエ博士の驚愕の表情が目に浮かぶ。

試験管の中のＤＮＡ情報が、〝空間〟を飛び越えて、隣の試験管の中の純水に「転写」されたのだ。

「……鋳型となるＤＮＡがまったく存在しないにもかかわらず、長さと配列が一致するＤＮＡが出現した。これは、まったくもって驚くべきことです」（同紙）

波動理論が証明する水の「転写」「記憶」

この不可思議な現象を説明するには、波動理論しかありえない。

つまり、片方の試験管のなかのＤＮＡ情報が、磁気共鳴により、他方の試験管内の水に伝えられたのだ。さらに、その「転写」されたＤＮＡ情報は、正確に「保存」（記憶）される。

つまり、水は、「情報」を、空間を隔てて「転写」させ、「記憶」するのだ。

それらを証明するのが波動医学の理論だ。

それは、量子力学により裏付けられている。

「量子力学の父」と偉業が称えらるドイツの物理学者マックス・プランクは、こう箴言を述べている。

「すべての存在と現象は、波動であり、その影響である。物質は存在しない」

この波動理論は、既成医学を根底から覆す。

モンタニエ博士は、患者の血漿から特殊な周波数の電磁信号を検出している。

感染症が電磁信号を発生させることは、それまで知られていた。ところが——。

「……アルツハイマー、多発性硬化症、種々の神経障害など、感染症が原因と考えられていない慢性疾患からも電磁信号が検出された。多くの難病がじつは病原体感染やワクチン接種によって生じている可能性を示唆。あるいは、病原体が自分の体内から自然発生的に生じることもあるのではないか、と考察した」(同紙)

これらの最新情報は、半世紀も昔に圧殺された千島・森下学説を再生させることにつながるだろう。

同学説は、細胞が無生物からも生じる「細胞新生説」を唱えているからだ。

「液晶化」が水の「記憶」をひもとく

さらに、水に関する衝撃発表は続く。

アメリカの生体医工学者ジェラルド・ポラック教授は、次の研究報告を行った。

「……水には、固体、液体、気体以外に、第四の相である液晶がある。水に特定の物質を入れると、物質に接した部分から、水はどんどん液晶化していく（映像で液晶部分が広がっていく様子を紹介）。

この水の液晶部分が、水の『記憶』や生体反応を含め、さまざまな未知の現象をひもとくカギになります」（ジェラルド教授）

由井寅子名誉会長は、シンポジウムの最後に、「水の記憶」を世界にさきがけ証明した故ジャック・ベンベニスト博士を称えている。

フランスの免疫学者であった博士こそが、水の記憶を証明した先駆者であった。

由井氏は、かつて彼の研究室を訪問し、その業績を高く評価し、1998年、日本に招請し、講演会を開催している。

今からさかのぼること20年以上も前のことである。

しかし、ベンベニスト博士の発見は、既成医学を支配する〝闇の勢力〟により徹底弾圧され、博士は無念のうちに世を去っている。

しかし――。

いまや、ジョセフソン教授やモンタニエ博士など、ノーベル賞級の学者たちが次々に「水が情報を『記憶』『転写』『学習』する事実を立証している」のである。

ホメオパシーを徹底的に誹謗中傷してきた医学界やマスコミは、これら最新の科学的な発見に顔面蒼白だろう。

「非科学」「オカルト」……と、あざ笑った連中のひきつった顔が、目に浮かぶようだ。

世界に広がる「波動医学」――「気」「意識」「祈り」とは？

――人類を救う最後の砦、それは波動エネルギーの奇跡

人を殺す西洋医学から、命を救う東洋医学へ

世界の医学が急速に変化している。

このシフトは、これから先、大きな巨大潮流（メガトレンド）となるだろう。

それが「波動医学（バイブレーショナル・メディスン）」への変化である。他方で、これまでの西洋医学への不信と絶望は深まるばかりである。

たとえば、2018年初頭、WHO（世界保健機関）は、突然、不可思議な発表を行った。それは、「国連は、東洋医学の漢方を正式に医療として認定する」というものだった。わたしは、この一報を聞いて、いままで東洋医学を国連が認めていなかったこ

とに、驚いた。

それにしても、突然の発表は、不自然である。

つまり、その真意は、こういうことだろう。

国連は、これまでの西洋医学を見限った……。

そのメッセージだと確信する。東洋医学を正式認定した。ということは、国連が西洋医学から東洋医学にシフトする——その「宣言」でもある。

この公式発表で、国連の医療予算や政策も、堂々と東洋医学に拠出できる。

その下地づくりのための発表だったのだ。

超猛毒抗ガン剤による大量殺戮（さつりく）もバレた

世界的に〝脱〟西洋医学のトレンドが起きている。

その事実を確信させる出来事は枚挙にいとまがない。たとえば、世界の大手製薬メーカーは、あいついで「認知症治療薬」の開発断念を発表した。つまり、「薬で認知症は治せない」。その事実を認めたのだ。

それに呼応するかのように、アイルランドの大手製薬会社シャイアーが、日本の武田薬品工業へ7兆円で身売りする、と報じられた。

腰を抜かす規模の売買劇である。

なぜ、いまこのときに……？

だれでも疑問に思う。同社は、抗ガン剤大手メーカーとしても知られる。

ところが、〝抗ガン〟とは名ばかりで、その正体はたんなる超猛毒にすぎない。

それは、わたしは15年も前に著書『抗ガン剤で殺される』で告発している。

本書第Ⅱ部（114ページ〜）でも詳述したように、1990年頃から欧米でガン患者の死亡率が、軒並み減少している。

だが日本では、逆に急増しているのだ。

その原因は抗ガン剤だ。欧米では抗ガン剤による化学療法は、効果がない……というのが、とっくの昔に常識となっている。

そのきっかけの一つが1990年、アメリカ議会の調査機関OTAが発表した「OTAリポート」だ。

ここで、「抗ガン剤は無力どころか有害。自然な代替療法のほうがガンを治す」と断定した。

アメリカ政府が公式に抗ガン剤治療の危険性を認定したのだ。さらに、それに先立つ1985年、米国立ガン研究所（NCI）のデヴィタ所長は、議会でこう証言している。

「抗ガン剤は無力だ。毒でガン細胞が一時的に縮小しても、みずから遺伝子を組み換え耐性を獲得して、たちまち増殖する」と証言している。

この時点で、アメリカのガン研究の最高責任者が抗ガン剤の無効と危険を公的に証言しているのだ。

しかし、世界のメディアは、いっさいこの真実を黙殺、封殺した。

それから、いったい何年が経っている？

アメリカでは食事改善が急速だ。セレブを中心にヴィーガン（完全菜食主義者）が爆発的に増えている。10年に10倍の勢いといってよい。

それと並行して、「瞑想」もまたものすごい勢いで普及している。

両者を指導するヨガが、世界的な広がりを見せている。

これは、既成の西洋医学が、病気を治せない〝殺人システム〟であることに、多くの人々が気づき始めたからだ。

「瞑想」は、腹式呼吸と精神集中で、ゆっくり身体の生理波動を整える。

まさに基本的な「波動療法」そのものである。

瞑想療法の世界的な広がりは、「波動医学」の浸透を意味するのだ。

中国政府、「音響チェア」を認知症治療に採用

衝撃的ニュースが、中国から飛び込んできた。

中国の習近平政権が、「音響免疫チェア」を、認知症治療として導入することを正式決定したのである。

ソファの背中部分に7個のスピーカーを配し、脊髄を通じて音響を脳に伝える。つまり、波動療法の一種である。

このバイブレーションを開発者の西堀貞夫氏は「羊水の響き」と呼ぶ。母親の胎内に

中国政府が認知症治療に正式認可した「音響免疫チェア」

いた胎児は脊髄で音を感じていた。

それは、生命波動として赤血球に伝わる。赤血球は、鉄分を含む磁性体である。その波動は、磁性エネルギーを高める。すると生命活性が上がり、2時間ほどの「音響チェア」の音響療法を体感すると血流が促進され、平均2℃ほど体温が上昇する。

血流不全と低体温は、万病の元である。とくに、認知症、ガン、糖尿病には絶大な効果を発揮する。いずれも血流不全、低体温、低酸素が発症のひきがねだからだ。

「音響チェア」の医学的効果は、臨床的にも確認されている。被験者たちは、体温が上昇し、血流が改善し、心身が安定していることが立証されている。

さらに、西堀氏は、この「音響チェア」で東大寺などの梵鐘（ぼんしょう）の響きを患者に聞かせている。その大地を揺らすほどの波動音響は、まさに生命波動の原点といえる。

彼は、それを「諸行無常（しょぎょうむじょう）の鐘の響き」と命名した。仏教の梵鐘の響きに、認知症などを治癒する働きがあったのだ。

以下――。

中国政府の決定を伝える速報である。

「中国政府は、老人性痴呆（認知症）の治療と予防に、中国老齢事業発展基金で、『音響チェア』の採用を決定しました。大変に素晴らしい、高齢者福祉対策です。2018

年、第8回、上海国際健康産業・博覧会に、上海市政府は、『諸行無常の鐘の響き――音響免疫療法の音響チェア』を出展しました（12月12日～14日）。日本の薬漬けの西洋医学は、認知症患者を治そうとしない、狂った医療です」（「音響免疫療法学会」）

習近平政権は西洋医学に見切りを付けた

中国政府が、この「音響チェア」を認知症対策に大量導入決定した意味は大きい。それは、とりもなおさず、習近平政権が、西洋医学に見切りを付けたことを意味するからだ。人口14億の中国が西洋医学に背を向けた。「音響チェア」大量採用は、その証拠である。

中国政府にとって、現在の悩みのタネは、認知症の増加である。

これは、一人っ子政策のツケともいえる。１９７９年から国民に強制された制度は、思わぬ結果をもたらした。両親が老いても子どもは1人……老親の世話ができない。

こうして、孤独な老人の痴呆が社会問題となっている。

しかし、世界の大手製薬会社は、認知症治療薬の開発断念をあいついで発表。これは、西洋医学の敗北宣言である。

そこで、中国政府は、「音響チェア」導入に動いた。

この「波動理論」は、音響による波動刺激で、「経絡（けいらく）」「経穴（けいけつ）」を刺激し、「気エネルギー」を活性化させるものだ。

「気」の理論は東洋医学、とりわけ中国医学（中医）では、本家本元……すぐに理解できる。おまけに、患者に猛毒を投与したり、放射線を当てたり、メスで切ったりする西洋医学と異なる。

こちらは、ゆったりソファに横たわり、背中から体内に聞こえてくる音楽、音響に身をまかせるだけ。じつに気持ち良く、身体は温まるし、リラックスしているだけでいい。

こんな快適な〝治療〟はない。

まず、上海市は、認知症対策に14億元の予算を計上した。円に換算すると、224億円もの巨額予算である。

これは中国政府、総務省に相当する民政部の決定にしたがい計上されたものだ（第2回・中央政府通知）。

上海市だけで約360万人も高齢者がいる、という。99％が在宅である。中国全土にしたら、まさに認知症対策は政権の焦眉（しょうび）の急なのである。「音響チェア」で、認知症を改善する。対策にかける習近平政権の意気込みがわかる。

さらに、上海につづき、香港、北京、天津などでも、導入の動きがある、という。

最新測定器メタトロンが証明、「波動医学」

中国政府の「音響チェア」採用決定は、世界の「波動医学」シフトの象徴的な出来事といえる。

日本国内でも「波動医学」に関心が、急速に高まっている。拙著『未来を救う「波動医学」』も大きな反響を呼んでいる。

ここで、「波動医学」とはなにか？　簡単に解説しておきたい。

なぜなら、聞いた瞬間に「ああオカルトね……」と冷笑する人もいるからだ。とくに、西洋医学の医者たちのほとんどは、不快な目付きで顔を背ける。

「波動医学」の根本原理は、人体の組織、器官、臓器は、それぞれ固有周波数の波動をもっている、という真理だ。これを「ソルフェジオ周波数」という。つまり、生きている限り〝振動〟している。

たとえば、個々の臓器が病むと、周波数が乱れる。だから、固有周波数のズレを測定すれば「診断」できる。そこに正しい周波数を送ってやれば共鳴現象で、臓器は本来の周波数に戻る。つまり、症状は消える。つまり、「波動医学」は痛みもなく、瞬時に「診断」し、瞬時に「治療」することができる。それを、実現したのが、メタトロンや

ＡＷＧなどの「波動測定・治療器」である。最新鋭センサーとコンピュータを搭載し、瞬時の「診断」「治療」を行う。

これら、波動診断・治療器の登場で、「波動医学」理論は、完璧に実証されているのである。

それでも、耳を塞ぎ、目を閉じて、「そんなのはオカルトだ。信じない！」と、首を振る医者がいる。

彼らを、世間では〝落ちこぼれ〟というのである。

ハンドパワーでトラ、オオカミ、クマが眠った！

わたしは前出書の続編『世界に広がる「波動医学」実践編』を書き上げた。

その取材過程で、「波動医学」の多様性、有効性に改めて感動した。

なかでも、衝撃的だったのは「気療師」神沢瑞至（かんざわただし）氏との出会いだ。

彼はトラやオオカミやハイイログマを、ハンドパワーで眠らせた男として、有名だ。その衝撃的なシーンは、テレビ番組でも放映された。

記憶にある方も多いはずだ。なんと、目の前の数十頭ものヒツジの群れを、右手の動きだけで、すべて眠らせたのだ。それだけではない。他の番組では5頭のオオカミを、さらに、クマ、トラと猛獣まで、ことごとく眠らせてみせたのだ。

これらの番組は、海外でも「オー・マイ・ガー！」と叫び声とともに、大反響を巻き起こした。

彼の著書は、海外でも翻訳され、衝撃が広まっている。

彼は、その他、メディアの取材陣の前で、ゾウ、サイ、カンガルー……と、ことごとく眠らせてみせた。目撃した人々のショックは想像がつく。片手を動かすだけで、どうして動物たちは次々に眠ってしまうのか？

これが、人間相手なら、疑問も生じるはずだ。

ヤラセではないか？

しかし、野生動物なら、それは利かない。神沢氏は、野生動物を次々に眠らせることで、「気」の存在を証明したのだ。

あるパーティでお会いした彼にやり方を指導してもらった。

親指を強く人差し指に押し当て、手のひらを少しくぼませて、相手に気を送る……という。著書によれば、動物と「気が通じた！」と感じる一瞬があるそうだ。これは、専門的には「気道がつながる！」という。

しかし、だれでもできるわけではない。先天的な素質に加えて、日々の鍛練が必要なことは言うまでもない。

彼は、著書の中で、自分の気エネルギーの高め方も指導している。

なにはともあれ、公開の場で、気エネルギーの存在を証明した功績は、大きい。

日本刀は〝気のアンテナ〟——真剣療法の妙味

「……〝気〟は誰にでもあります。鍛えることもできます」

断言するのは矢山利彦医師（矢山クリニック院長）。

彼は、わたしの高校の後輩でもあるが、気の医療では、まさに日本の先覚者である。

『気の人間学』（正・続。ビジネス社）という著作もある。

彼は九州大学空手部の主将もつとめ、さらに、漢方、鍼灸（しんきゅう）、気功も究（きわ）めている。

彼は〝真剣療法〟という面白い治療法も実践している。用いるのは日本刀、つまり真剣だ。

「日本刀は〝気のアンテナ〟です」と、矢山医師。

これは、どういうことか？

「刀鍛冶（かたなかじ）が鉄を何回も何回も折り曲げ叩いて作りますね。すると3万くらい重なった層ができます。それで、気が増幅されるのです。隕石の隕鉄で打った刀は、さらに凄いですよ」

彼は愛用の日本刀をすらりと抜いて正眼に構えた。

なかなかの気迫である。

「丹田(たんでん)に〝気〟を集中すると、ちょうど刀の柄(つか)が丹田の位置にきます。そこから、相手へ〝気〟を送る。すると、刀身の〝アンテナ〟が増幅して相手に伝わる。相手は気後れして、『参りました』となる。つまり、斬り合いをせず、無駄な殺生(せっしょう)をせずにすむ」（矢山医師）

戦わずして勝つ……まさに、武道の極意といえる。

矢山氏は、日本刀が〝気の増幅アンテナ〟であることを目の前で見せてくれた。

右手に持った抜き身の刀に、彼はウンッム……と、思い切り〝気〟を送った。

すると、なんと、刃の先端から、ゆらゆらと陽炎(かげろう)のように、〝気〟が立ち上ぼるのがハッキリ見えた！

〝気エネルギー〟は見えるのだ。

これは、神沢氏が野生動物を眠らせたのと同様に、〝気〟の存在証明といえる。

日本刀が〝気のアンテナ〟なので、真剣を使った気功も存在する。

真剣の刃を患部に当てて「気」を送る。

矢山医師は、さらに真剣を素振りする「真剣療法」を施してくれた。

自然体で立つ、わたしの背後で、道着の彼が、全身の「気」を込めて10回ほど素振りをして、わたしの背中に「気」を送る。

ブン、ブン……と、真剣が空を切る音が背後から聞こえる。なんとなく、背中が温かくなったような「気」がする。

振り返ると、息の上がった矢山氏の汗の浮いた笑顔があった。

色、匂い、音、形……すべて波動エネルギー

世界的に広まり始めた「波動医学」は、医療現場では、最新鋭のメタトロンなどが活躍している。その他、民間療法や、さまざまな「波動医学」が存在している。

面白いのは、「波動医学」には、「気エネルギー」を用いる気功やハンド・ヒーリング（手当て、レイキなど）などの他にも多種多様ある。

人間には、五感六感がある。触覚、視覚、嗅覚、聴覚、味覚……さらに直感の第六感。これらは、すべて波動刺激なのだ。だから、すべて「波動療法」となる。

■触覚：指圧やマッサージ、整体なども立派な波動療法だ。乾布まさつ、タワシまさつ

などもそうだ。皮膚への波動刺激が生体を活性化させる。

■視覚：「色彩」も電磁波の波動である。だから、「色彩療法」という治療法も存在する。最近、ある色の周波数が、ガン細胞を死滅させることが発見され話題になっている。

これも、波動療法の素晴らしい成果といえる。

「色」は心理に影響を与えることは、よく知られている。色彩心理学という言葉があるくらいだ。「色」で心理が影響を受けるということは、生理も影響を受けることの証しである。

■嗅覚：「香り」も特有の周波数をもつ刺激である。嗅覚は、その波動刺激を脳に伝える。「香り」のセラピーは、古来から行われている。インドに古代から伝わるアーユルベーダなどは、その典型だ。

香油をつかうマッサージなどは、触覚刺激もプラスした療法である。アロマテラピーは、各々の症状に合わせて香りのエキスを選別して、肌につけたりして、香りにより治療を行う。さらに、疲れたときオレンジの香りなど嗅ぐと、見事に爽快感で疲れが取れる。これは、疾病に治療効果があることの証しだ。

■聴覚：「音響チェア」だけでなく、「音叉療法」「オルゴール療法」「シンギングボール」など、現在、広く行われている波動療法の中では、もっともポピュラーだ。

多種多様な「波動療法」は、それぞれ、素晴らしい。音響療法（サウンド・ヒーリング）は、これからの医療の主流として大きな流れを作るだろう。

そのルーツは、古代宗教にある。隠れたブームのシンギングボールも「チベタンボール」を模したものである。

チベット寺院では瞑想などに用いた。二つの金属を鳴らす法具「ティンシャ」は、瞑想の終わりの合図や場を清めるときに用いる。

■味覚：これは、「波動医学」に関係があるのか？　と、言われそうだが、やはり味覚情報も、舌などを通じて、脳に伝達される。つまり、波動情報なのだ。「美味求真」とは、それが生理的、心理的な効果をあげていることを示す。美味なものは、良い波動を脳に送り、不味いものは悪い波動を脳に送るのである。

さらに、ここで大切なことを付言しておきたい。世界のセレブたちが受けている自然療法、ホメオパシーも波動療法である。

それは、同種療法とも呼ばれる。これは、ホメオスタシス（生体恒常性維持機能）を活用する治療法、わかりやすく言えば自然治癒力を活用する治療法だ。

たとえば熱病を治すのに、熱を出す〝毒素（レメディ）〟を用いる。といえば、恐ろしい医療のように思える。そうではない。その〝毒〟を試験管でくりかえし、何百万倍に薄める。そのとき試験管を激しく振動させる。すると物質（レメディ）の情報が水に転写される。つまり情報だけが残る。それを投与すると、レメディの波動刺激で、病気が治るのである。

これを、インチキだと日本の朝日新聞が攻撃キャンペーンを展開したのは前の項で詳述したとおりだ。

「量子波」とは「心」「意識」「気」である

最近、「量子波療法」という言葉が、使われるようになった。

量子とは、超ミクロの素粒子である。

それらは、最近も次々に発見されている。

クォーク、ニュートリノ……などなど、数多くの量子の存在が確認されている。

これらが、我々の意識や心と、深くかかわっていることが、最近、わかってきた。

現代の研究者で、意識や心を研究しているのは、なんと量子力学者だという。

結論からいえば、「量子波」とは「心」であり、「意識」であり、「気」そのものなのだ。「病気」とは「気」が病んでいる。つまり「量子波」が乱れている。

では、その乱れを調整するものはなにか?

わたしが尊敬する世界的な治療師(ヒーラー)、ケン・コバヤシ(小林健)先生は、「それは、愛だ!」という。

ここで、笑ってはいけない。

いま、世界の量子力学者たちは、本気で「愛」や「祈り」について、研究を進めている。「祈り」「引き寄せ」「第六感」さらに「超能力」……これらは、もはや、最新科学の研究テーマになっている。

たとえば「祈り」の研究——。米カリフォルニアで行われた実験である。

心臓病の患者を二つのグループに分けた。

すると「治るように」祈られたグループの患者は、「祈られなかった」グループより、5倍も症状は安定していた。つまり、「祈られなかった」患者たちは、5倍、悪化したのである。

この大差は、偶然では起こりえない。

「祈り」とは「愛」のエネルギーである。

それが、患者に届いたのだ。

どうして⁉

「意識」の正体は「量子波」つまり、クォークなどの素粒子だ。これは地球をも0・1秒以下で突き抜ける。

だから、「虫の知らせ」は、空間も、時間すらも、超えるのである。

――われわれは「空間」も「時間」も、絶対的ではなく、相対的である――という、新しい真理の入口に立っている。

あとがき

パラダイム・シフトへの救命ボート

世界の変化が急である。

かつての常識が通用しないほど、変化が急速に進んでいる。〝火の文明〟の崩壊が加速され、〝緑の文明〟の台頭が急激だ。

経済、政治、文化、産業、技術、エネルギー……そして、医療、農業、教育……あらゆる分野でパラダイム・シフトが起こっている。

その一端を本書であきらかにした。

旧体制の価値体系は、音を立てて崩落していく。

船にたとえれば、不沈と信じられていた豪華客船「タイタニック号」が、傾いて沈み始めたようなものだ。

恐怖で船体にしがみついていれば、まさに、轟沈する巨船と運命を共にすることになる。

生き残るには、この豪華船から、救命ボートにジャンプすることだ。

それには、勇気が必要だ。まずは、眼を見開き、息を整え、身を躍らせることだ。

本書は、その救命ボートである。

日本人は、全体として変化を恐れる。臆病な民族である。

だから、権威にすがる。

しかし、その旧体制（アンシャン・レジーム）は、音を立てて崩壊が始まっている。

しがみついていれば、暗黒、酷寒の海原（うなばら）にひきずりこまれる。

時代は残酷である。いやがおうでも、今は選別のときである。

滅びる者と、生き残る者とが、峻別（しゅんべつ）される。

前者は旧体制にしがみつく人々だ。後者は未来に希望を託す人々だ。

それは、この小さな救命ボートに飛び移る勇気のある人々だ。

大きな荷物を抱えていては駄目だ。身ひとつで跳躍しなければならない。

過去の権威、経歴は、邪魔になる。いっさい役に立たない。

旧制度の遺物は、置いていかねばならない。

しかし、なんと清々しいことだろう。

天が与えてくれた身体で、新しい未来に旅立つ。

そこに待つのは、かつてない新しい政治、文化、経済、技術、医療、エネルギー……。

人類を支配してきた〝闇の勢力〟が存在しない自由なる天地。緑なし花咲き誇る地球……。

そこでは、命と魂を解放する〝緑の文明〟が花開いていることだろう。

それを実現させるのは「希望」という名の種である。

さあ、共に輝ける未来へ――。

2020年1月16日　船瀬俊介

船瀬俊介　刊行書籍一覧

◉1987年
『情報パワーアップ術』（桐書房）、『味の素はもういらない』（三一書房）
◉1988年
『どうしても化粧したいあなたに』（三一書房）
◉1989年
『なぞの川崎病』（三一書房）
◉1990年
『グッド・バイめがね・コンタクト』（農山漁村文化協会）、『自然流「だし」読本』（農山漁村文化協会）
◉1991年
『続・どうしても化粧したいあなたに』（三一書房）、『だから、せっけんを使う』（三一書房）
◉1992年
『自然流「OL健康」読本』（農山漁村文化協会）、『これで電気は大丈夫！エコエネルギーQ＆A』（ラジオ技術社）
◉1993年
『近未来車EV戦略』（三一書房）、『クロス・カレント』（訳書・新森書房）、『大都会で長生きする方法』（編書・三一書房）、『ほのぼの奥さんかしこい暮らし』（健友館）、『地球にやさしく生きる方法』（三一書房）
◉1994年
『続々・どうしても化粧したいあなたに』（三一書房）

◉1995年
『買ってはいけない化粧品』（三一書房）
◉1996年
『あぶない電磁波！』（三一書房）
◉1997年
『続・だから、せっけんを使う』（三一書房）、『温暖化の衝撃』（三一書房）
◉1998年
『続・買ってはいけない化粧品』（三一書房）、『続・あぶない電磁波！』（三一書房）、『プロも知らない「新築」のコワサ教えます』（築地書館）、『船瀬俊介の民間茶薬効事典』（農山漁村文化協会）
◉1999年
『買ってはいけない』（共著書・週刊金曜日）、『こうして直すシックハウス』（農山漁村文化協会）、『買ってもいい』（光文社）、『三一書房にみる日本の黒い霧』（編書・健友館）、『環境ドラッグ』（築地書館）、『きれいになった！ありがとう』（三一書房）
◉2000年
『超インフルエンザ』（三一書房）、『「賢い消費者マナー」教えます』（共著書・築地書館）、『屋上緑化』（築地書館）
◉2001年
『早く肉をやめないか？』（三五館）、『あなたもできる自然住宅』（築地書館）、『この食品だったらお金を出したい！』（三五館）
◉2002年
『コンクリート住宅は9年早死にする』（リヨン社）、『まだ、肉を食べているのですか』（訳書・三交社）、『よみがえれ！イグサ』（築地書館）、『食民地――アメリカに餌づけされたニッポン』（ゴマブックス）
◉2003年
『大地の免疫力キトサン』（農山漁村文化協会）、『ガンにならないゾ！宣言 pt.1』（花伝社）、『電磁波被曝』（双葉社）『ガンにならないゾ！宣言 pt.2』（花伝社）、『「図解」ひっかけ商法のカラクリ』（PHP研究所）、『SARS——キラーウィルスの恐怖』（双葉社）、『「屋上緑化」完全ガイド』（築地書館）

●2004年

『日本の風景を殺したのはだれだ？』（彩流社）、『木造革命』（リヨン社）、『医薬品添付文書をください』（共著書・光文社）、『疾れ！電気自動車』（築地書館）

●2005年

『抗ガン剤で殺される』（花伝社）、『やっぱりあぶない、IH調理器』（三五館）、『気象大異変』（リヨン社）、『ほんものの日本酒を！』（築地書館）、『新版やっぱりあぶない、IH調理器』（三五館）

●2006年

『ガンで死んだら110番』（五月書房）、『崩壊マンションは買わない！』（リヨン社）、『ケータイで脳しゅよう』（三五館）、『笑いの免疫学』（花伝社）

●2007年

『知ってはいけない!?』（徳間書店）、『ガンは治るガンは治せる』（共著書・花伝社）、『まさかに役立つ健康茶の薬効図鑑』（編著書・三五館）、『風景再生論』（彩流社）、『テロより怖い温暖化』（リヨン社）、『巨大地震が原発を襲う』（地湧社）

●2008年

『漆喰復活』（彩流社）、『病院に行かずに「治す」ガン療法』（花伝社）、『新・知ってはいけない!?』（徳間書店）、『医者が心の病に無力なワケ』（共著書・三五館）、『メタボの暴走』（花伝社）、『増補版ガンで死んだら110番』（五月書房）、『テレビCMの派手な商品に、ご用心！』（三五館）、『悪魔の新・農薬「ネオニコチノイド」』（三五館）

●2009年

『真実は損するオール電化住宅』（三五館）、『奇跡の杉——「金のなる木」を作った男』（三五館）、『ホットカーペットでガンになる』（五月書房）、『ガンになったら読む10冊の本』（花伝社）

◉2010年
『ガン検診は受けてはいけない!?』（徳間書店）、『もしも、IH調理器を使っていたなら』（三五館）、『アメリカ食は早死にする』（花伝社）、『クスリは飲んではいけない!?』（徳間書店）、『The green technology』（彩流社）
◉2011年
『「長生き」したければ、食べてはいけない!?』（徳間書店）、『酵素を摂れば、元気な身体がよみがえる』（監修書・徳間書店）、『大腸をきれいにすれば、病気にならない』（監修書・徳間書店）、『飲み水にこだわれば、健康に生きられる』（監修書・徳間書店）、『食事を正しくすれば、老化は防げる』（監修書・徳間書店）、『やっぱり、やっぱりガンは治る！』（共著書・コスモトゥーワン）、『健康住宅革命』（花伝社）、『原発震災が大都市を襲う』（徳間書店）、『節電・エコ生活50の知恵』（徳間書店）、『原発マフィア』（花伝社）、『新がん革命』（共著書・ヒカルランド）、『放射能生活の注意事項』（三五館）、『抗ガン剤の悪夢』（花伝社）
◉2012年
『「五大検診」は病人狩りビジネス！』（ヒカルランド）、『放射能汚染だまされてはいけない!?』（徳間書店）、『日本の家はなぜ25年しかもたないのか？』（彩流社）
◉2013年
『これだ！《里山資本主義》で生き抜こう！』（共著書・ヒカルランド）、『巨大地震だ、津波だ、逃げろ！』（ヒカルランド）、『わが身に危険が迫ってもこれだけは伝えたい日本の真相！』（成甲書房）、『「モンスター食品」が世界を食いつくす！』（イースト・プレス）、『知ってはいけない!? 医食住の怖〜い話』（徳間書店）、『「日本病」経済の真相！』（ビジネス社）、『これが〈人殺し医療サギ〉の実態だ！』（共著書・ヒカルランド）、『病院で殺される』（三五館）、『ショック!! やっぱりあぶない電磁波』（花伝社）
◉2014年
『ワンワールド支配者の仕掛け罠はこう覆せ！』（共著書・ヒカルランド）、『3日食べなきゃ、7割治る！』（三五館）、『どれほど脅迫されても書かずには死ねない日本の真相！2』（成甲書房）、『市販薬の危険度調べました』（三才ブックス）、『大崩壊渦巻く〈今ここ日本〉で慧眼をもって生きる！』（共著書・ヒカルランド）、『和食の底力』（花伝社）、『病気はこうしてつくられる！』（共著書・ヒカルランド）、『ワクチンの罠』（イースト・プレス)、『経済難民時代を生き抜くサバイバル読本』(ビジネス社)、『世界一底なしの闇の国NIPPON!』(共著書・ヒカルランド)、『血液の闇』(共著書・三五館)、『クスリは飲んではいけない!?』(徳間書店)、『やってみました!1日1食』(三五館)

◉2015年

『若返ったゾ!ファスティング』(三五館)、『ハイジャックされた《NIPPON》を99%の人が知らない』(共著書・ヒカルランド)、『買うな!使うな!身近に潜むアブナイものPART1』(共栄書房)、『10年後、会社に何があっても生き残る男は細マッチョ』(主婦の友社)、『夫婦で楽しむ、ファスティング入門』(共著書・三五館)、『いのちのガイドブック――新医学宣言』(キラジェンヌ)、『できる男は超少食』(主婦の友社)、『日本では絶対に報道されないモンサントの嘘』(訳書・成甲書房)、『STAP細胞の正体』(花伝社)、『かんたん「1日1食」!!』(講談社)、『沖正弘がのこしてくれた治すヨガ!』(三五館)、『死のマイクロチップ』(イースト・プレス)

◉2016年

『年をとってもちぢまないまがらない』(興陽館)、『医療大崩壊』(共栄書房)、『ミラクル☆ヒーリング』(共著書・ヒカルランド)、『嘘だらけ現代世界』(共著書・ヒカルランド)、『できる男は金を呼ぶ!』(主婦の友社)、『超少食で女は20歳若返る』(光文社)、『ハリウッド・セレブが頼るヒーラー《ケン・コバヤシ》と語ったこれからの医療』(共著書・ヒカルランド)、『買うな!使うな!身近に潜むアブナイものPART1』(共栄書房)、『老人病棟』(興陽館)、『食べなきゃ治る!糖尿病』(三五館)、『「暮しの手帖」をつくった男』(イースト・プレス)、『史上最凶レベルの言論弾圧に抗して諸悪すべてを暴く日本の真相!3』(成甲書房)、『菜食で平和を!』(キラジェンヌ)、『戦争は奴らが作っている!』(共著書・ヒカルランド)、『できる男のメンタルコンディショニング』(主婦の友社)、『サイキックドライビング〈催眠的操作〉の中のNIPPON』(共著書・ヒカルランド)、『いま最先端にいるメジャーな10人からの重大メッセージ』(共著書・ヒカルランド)

◉2017年

『世界中の長寿郷に学ぶ健康寿命120歳説』(三五館)、『ロックフェラーに学ぶ悪の不老長寿』(ビジネス社)、『維新の悪人たち』(共栄書房)、『地上最強の量子波&断食ヒーリング』(共著書・ヒカルランド)、『元気になりたきゃ、お尻をしめなさい』（日本文芸社）、『未来を救う「波動医学」』（共栄書房）、『らくわく！1DAYファスティング』（ヴォイス出版事業部）、『ドローン・ウォーズ』（イースト・プレス）、『日本人だからこそ成し遂げられる《木・呼吸・微生物》超先進文明の創造』（ヒカルランド）、『國際秘密力の研究』（監修書・ともはつよし社）、『「健康茶」すごい！薬効』（ヒカルランド）、『まちがいだらけの老人介護』（興陽館）

◉2018年

『新装版3日食べなきゃ、7割治る！』（ビジネス社）、『リニア亡国論』（ビジネス社）、『肉好きは8倍心臓マヒで死ぬ』（共栄書房）、『恐いインプラント』（光文社）、『船瀬俊介の「書かずに死ねるか！」』（成甲書房）、『「食べない」ひとはなぜ若い？』（ヒカルランド）、『魔王、死す！』（ビジネス社）、『若返る！健康少食』（日本文芸社）、『あぶない抗ガン剤』（共栄書房）、『やって良かった！1日1食』（フォレスト出版）、『すごい元気がとまらない5つのセルフヒーリング』（ヴォイス出版事業部）、『引き裂かれた《いのちのスピリット》たちよ！unityの世界に戻って超えていけ』（共著書・ヒカルランド）、『心にのこる、書きかた、伝えかた』（共栄書房）、『60すぎたら本気で筋トレ！』（興陽館）

◉2019年

『図解3日食べなきゃ、7割治る！』（ビジネス社）、『世界に広がる「波動医学」』（共栄書房）、『牛乳のワナ』（ビジネス社）、『船瀬俊介&秋山佳胤令和元年トークライブ「大団円」』（共著書・明窓出版）、『悪の巨星墜つD・ロックフェラー』（共著書・ICI）、『未来に答えを提供する水素・電子・微生物』（共著書・ヒカルランド）、『なぜ中国は認知症に「音響チェア」を導入したのか？』（徳間書店）、『フライドチキンの呪い』（共栄書房）

◉著者について
船瀬俊介（ふなせ しゅんすけ）
ジャーナリスト、評論家。1950年、福岡県生まれ。九州大学理学部中退、早稲田大学第一文学部社会学科卒業。大学在学中より生協活動に携わる。日本消費者連盟の編集者を経て1986年独立。1999年に共同執筆した『買ってはいけない』が大きな反響を呼び、以後も主に消費者・環境にかかわる分野の著書の執筆、講演活動を続けている。著作の一覧は本書312ページ以下を参照。

船瀬俊介公式ホームページ
http://funase.net/

日本の真相！知らないと「殺される!!」

政府・マスコミ・企業がひた隠す不都合な事実

◉著者
船瀬俊介

◉発行日
初版第1刷　2020年2月25日
初版第8刷　2022年4月30日

◉発行者
田中亮介

◉発行所
株式会社 成甲書房

郵便番号101-0051
東京都千代田区神田神保町1-42
振替00160-9-85784
電話 03(3295)1687
E-MAIL mail@seikoshobo.co.jp
URL http://www.seikoshobo.co.jp

◉印刷・製本
株式会社 シナノ

Printed in Japan, 2020
ISBN978-4-88086-371-9
定価は定価カードに、
本体価はカバーに表示してあります。
乱丁・落丁がございましたら、
お手数ですが小社までお送りください。
送料小社負担にてお取り替えいたします。